La Mystique de la croissance

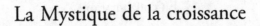

DU MÊME AUTEUR

Le Travail. Une valeur en voie de disparition ?, Aubier, coll. « Alto », 1995, rééd. Flammarion, coll. « Champs Essais », 2010.

Qu'est-ce que la richesse ?, Aubier, coll. Alto, 1999, rééd. Flammarion, coll. « Champs », 2000.

Le Temps des femmes. Pour un nouveau partage des rôles, Flammarion, 2001, rééd. Coll. « Champs », 2002, coll. « Champs actuel », 2008.

Le Travail, PUF, coll. « Que sais-je ? », 2004 ; rééd. 2010.

Au-delà du PIB. Pour une autre mesure de la richesse, Flammarion, coll. « Champs actuel », 2008.

Travail : la révolution nécessaire, Éditions de l'Aube, 2011.

En collaboration

JOIN-LAMBERT, Marie-Thérèse, BOLOT-GITTLER, Anne, DANIEL, Christine, LENOIR, Daniel, MÉDA, Dominique, *Politiques sociales*, FNSP/Dalloz, 1994, 2ᵉ éd. 1997.

SCHOR, Juliet, MÉDA, Dominique, *Travail, une révolution à venir*, entretien avec Juliet Schor, Mille et Une Nuits/Arte éditions, coll. « 1001 Nuits, Petite Collection », 1997.

BRUNHES, Bernard, CLERC, Denis, MÉDA, Dominique, *Trente-cinq heures : le temps du bilan*, Desclée de Brouwer, coll. « Sociologie économique », 2001.

MÉDA, Dominique, VENNAT, Francis (dir.), *Le Travail non qualifié. Permanences et paradoxes*, La Découverte, coll. « Recherches », 2004.

AUER, Peter, BESSE, Geneviève, MÉDA, Dominique (dir.), *Délocalisations, normes du travail et politique d'emploi. Vers une mondialisation plus juste ?*, La Découverte, coll. « Recherches », 2005.

LEFEBVRE, Alain, MÉDA, Dominique, *Faut-il brûler le modèle social français ?*, Seuil, 2006.

PÉRIVIER, Hélène, MÉDA, Dominique, *Le Deuxième Âge de l'émancipation. La société, les femmes et l'emploi*, Seuil, coll. « La République des idées », 2007.

GOMEL, Bernard, SERVERIN, Évelyne, MÉDA, Dominique, *L'Emploi en ruptures*, Dalloz, 2009.

COUTROT, Thomas, FLACHER, David, MÉDA, Dominique, *Les Chemins de la transition. Pour en finir avec ce vieux monde*, Éditions Utopia, 2011.

Dominique Méda

La Mystique de la croissance

Comment s'en libérer

Flammarion

© Flammarion, 2013.
ISBN : 978-2-0812-9917-7

INTRODUCTION

La violence de la crise économique a tout éclipsé. Pendant ce temps-là, les mauvaises nouvelles sur l'état de notre planète s'accumulent. Chaque jour, les prévisions se font plus sombres et plus inquiétantes. Un matin, on nous signale que les glaces des pôles ont fondu plus qu'il n'était prévu ; le lendemain, que la dégradation des écosystèmes est plus avancée que ce que l'on croyait ; le surlendemain voit paraître un article annonçant que des seuils critiques ont été franchis. Nous pensions disposer d'un répit avant d'avoir à nous inquiéter et de devoir engager des actions drastiques. C'est faux.

Si l'on accorde foi aux prévisions des organismes officiels, il nous faut prendre maintenant les mesures urgentes qui s'imposent, notamment pour réduire nos émissions de gaz à effet de serre : principale cause du changement climatique, leur augmentation risque de rendre la vie sur Terre plus qu'inconfortable. Le fait est que nul ne connaît les conséquences d'un tel changement. Peut-être les conséquences ne se feront-elles sentir que dans une poignée de pays, deux ou trois petites îles perdues au milieu des océans, et parmi quelques

7

populations très pauvres. Cette croyance très répandue explique sans doute pourquoi nous réagissons si peu ou si lentement... Nous avons tort : les quatre, cinq ou six degrés d'augmentation de la température entraîneront sans doute des réactions en chaîne qui bouleverseront les conditions de la vie sur Terre. L'enjeu est vital. Nous devrions concentrer nos recherches sur les moyens de nous opposer à ces changements, d'empêcher qu'ils n'adviennent, tout mettre en œuvre pour prendre au plus vite les mesures nécessaires.

Personne ne sait vraiment ce qui peut se passer. Et nous avons peine à l'imaginer puisqu'un tel événement n'est jamais arrivé, ou du moins, n'a jamais été raconté. Il est alors tentant de parier. Parier que le pire n'arrivera pas, parier que nous serons morts avant, parier que ces nouvelles alarmantes sont répandues par des menteurs. Parier que les choses demeureront à l'identique. Et qu'en dignes successeurs d'Ulysse et de Prométhée, nous saurons joindre la ruse à l'ingéniosité pour trouver des solutions au moment qui conviendra. Les mythes ne racontent-ils pas que Prométhée a offert aux humains, oubliés lors de la distribution originelle, les capacités techniques qui nous ont permis de porter l'humanité à un stade de développement inégalé ? N'avons-nous pas réussi à dompter la plupart des forces naturelles ? Sophocle ne nous apprend-il pas que s'« il est bien des merveilles en ce monde, il n'en est pas de plus grande que l'homme. Il est l'être qui sait traverser la mer grise, à l'heure où soufflent le vent du Sud et ses orages, et qui va son chemin au milieu des abîmes que lui ouvrent les flots soulevés. Il est l'être qui tourmente la déesse auguste entre toutes, la Terre » ? Que l'être humain est cet « homme à l'esprit ingénieux. Par ses engins il se rend maître de l'animal sauvage qui va courant les monts, et le moment venu il mettra sous le joug et le cheval à l'épaisse crinière et l'infatigable taureau des montagnes » ? L'homme n'est-il pas « bien armé contre tout, il ne se voit désarmé contre rien de ce que peut lui offrir l'avenir », et « maître d'un savoir dont les ingénieuses ressources dépassent toute espérance » ? Qu'aurait dit le dramaturge grec s'il avait pu mesurer la puissance dont les êtres humains se sont dotés depuis les vingt-cinq siècles qui nous séparent de lui ?

Nous tentons de nous rassurer : le progrès technique nous tirera de ce mauvais pas. Notre ingéniosité nous permettra d'y faire face très rapidement, dès que nous aurons les preuves que l'humanité est mal engagée et court des risques majeurs : nous augmenterons la fiscalité sur les combustibles fossiles, nous créerons une taxe carbone d'un montant très élevé, nous investirons massivement dans les énergies alternatives, nous isolerons nos habitations et diminuerons notre dépendance énergétique. Tous les mécanismes économiques que nous maîtrisons se déclencheront : les prix de certaines ressources augmentant, d'autres, inutilisées jusqu'alors, deviendront brutalement désirables et rentables, et prendront la place des premières. Une fois de plus, nous sortirons vainqueurs du combat avec la nature que nous avons toujours gagné.

Et si c'était trop tard ? Qu'est-ce qui nous permet d'affirmer que des seuils critiques n'auront pas été franchis, que des changements irréversibles n'auront pas été engagés ? Que nous n'aurons pas déclenché une série de réactions qui rendront la vie insupportable, et nous ramèneront, qui sait, des siècles en arrière, à des conditions bien différentes de celles que Sophocle connaissait et décrivait.

Le temps n'est plus où le front des sceptiques taxait les porteurs de mauvaises nouvelles d'imposteurs. La prise de conscience est générale. Quelque chose ne va pas dans notre mode de développement. Si les informations délivrées par les instances officielles sont de plus en plus précises et nombreuses, les publications scientifiques, dont les auteurs ne sont pas nécessairement des climatologues ou des biologistes, ne sont pas en reste : elles inscrivent les premières dans une perspective du monde à venir plus globale, proposant des ruptures plus ou moins radicales avec le type de développement que nous avons connu jusqu'alors[1]. Toutes ont pour point commun de bouleverser les certitudes, ou au moins les principes qui fondent notre modernité occidentale : croyance au progrès infini, assimilation de celui-ci avec la croissance du PIB, valeur cardinale accordée à la liberté de consommation, interprétation de la production comme un acte spécifiquement humain...

La croyance selon laquelle la croissance serait la clé de la prospérité et du progrès, et devrait rester l'objectif principal de nos sociétés, est ébranlée. L'on prend conscience que les rythmes de la croissance mondiale que nous connaissons depuis cinquante ans sont

---

1. Je pense à Tim Jackson, *Prospérité sans croissance*, De Boeck-Etopia, 2010 ; Jean Gadrey, *Adieu à la croissance*, Les Petits Matins, 2010 ; Juliet Schor, *La Véritable Richesse, une économie du temps retrouvé*, Charles Leopold Mayer, 2013 ; Robert Costanza, Ida Kubiszewski, Gar Alperovitz, Juliet Schor, Herman Daly, Tim Jackson, Peter Victor, Johua Farley et Carol Franco, *Vivement 2050 ! Programme pour une économie soutenable et désirable*, Les Petits Matins et institut Veblen, 2013 ; Isabelle Cassiers (dir.), *Redéfinir la prospérité. Jalons pour un débat public*, éditions de l'Aube, 2011 ; Richard Heinberg, *The End of Growth : Adapting to Our New Economic Reality*, New Society Publishers, 2011 ; Jean-Marie Harribey, *La Valeur, la Richesse et l'Inestimable*, Les Liens qui libèrent, 2013.

incompatibles avec la prise en compte de notre environnement à très court terme. Mais nous sommes pris dans une contradiction majeure entre le court terme et le long terme qui donne à nos tentatives et nos efforts une allure désespérée : à très court terme, la crise économique et sociale, et les mesures d'austérité destinées à désendetter nos pays, nous étouffent et rendent le retour de la croissance absolument nécessaire. D'où les objurgations et les prières qui tournent en boucle sur les radios et dans les discours des responsables politiques : « Sainte croissance, nous vous en prions, revenez ! » Hélas ! chacun sait – ou devrait savoir – que ce n'est pas seulement à moyen ou long terme que toute augmentation de croissance accroît le péril. Plus nous tardons, plus les mesures à prendre seront onéreuses et difficiles. Plus nous supplions : « Un instant, Monsieur le bourreau ! Donnez-nous, quelques années encore, quelques petits points de croissance », plus les nuages s'amoncellent au-dessus de nos têtes.

Sauf à croire encore – ce qui est le cas de beaucoup d'économistes et d'hommes d'affaires – que plus nous aurons de croissance, plus nous pourrons consacrer de moyens à lutter contre les dégâts de la croissance... (ce qui fera encore de l'activité, de l'emploi et des profits toujours bons à prendre), c'est donc une véritable rupture avec notre modèle de développement, avec l'idéologie qui cautionne sa poursuite, qu'il nous faut. Une rupture avec nos « sociétés fondées sur la croissance ».

J'emploie à dessein cette expression, en modifiant celle qu'utilisait Jürgen Habermas en 1985 dans *Le Discours philosophique de la modernité*[1], lorsqu'il évoquait

---

1. Jürgen Habermas, *Le Discours philosophique de la modernité*, Paris, Gallimard, coll. « Tel », 2011.

la « fin historiquement prévisible des sociétés fondées sur le travail ». Comme le travail – et en partie pour les mêmes raisons – la croissance structure notre dynamique sociale, nos attentes et l'ensemble du fonctionnement de nos institutions depuis le XVIIIe siècle. Sans travail, nos sociétés sombrent. Sans croissance, elles s'effondrent. La croissance joue, et c'est encore plus vrai depuis cinquante ans, tous les rôles : elle est le substitut du progrès, elle est la clé du confort, elle est synonyme d'augmentation des revenus, elle est porteuse de démocratie. En son absence, nous n'aurions plus ni augmentation de revenus, ni confort, ni emploi, ni progrès. Si un tel événement n'est pas préparé, anticipé, organisé, c'est probablement ce qui arrivera. C'est même ce qui est en train d'arriver : nous sommes en récession, nous sommes en décroissance. Et c'est de manière brutale et sauvage que le processus se déroule, alors qu'il nous faudrait accepter l'idée que la croissance ne reviendra peut-être pas et comprendre que ce n'est pas une mauvaise nouvelle. Tout au contraire. Cette prise de conscience suppose néanmoins de comprendre le rôle qu'a joué et que continue de jouer encore la croissance dans nos sociétés.

Nous sommes arrivés au moment où nous devons dénouer les liens historiques et idéologiques qui se sont organisés entre croissance, progrès et démocratie. Pour engager la grande bifurcation, nous devons analyser la façon dont ces liens se sont noués, étudier la genèse de notre croyance dans la croissance.

La croissance de la production n'a pas seulement été le moyen de parfaire notre confort ou d'améliorer nos conditions de vie. Historiquement, elle a rempli de nombreuses autres fonctions. Elle était considérée, notamment à la fin du XVIIIᵉ siècle, comme le meilleur moyen d'égaliser ces conditions de vie, d'organiser et de maintenir l'ordre social, de développer la démocratie, de civiliser les peuples. Or ces caractéristiques ne sont pas inhérentes à la croissance. On peut avoir de l'emploi, de la démocratie, du confort avec moins de croissance, sans doute sans croissance, ou avec un autre type de croissance que celui que nous avons connu.

Un des objectifs que je poursuis dans ce livre est d'essayer de comprendre les multiples rôles que la croissance a joués dans la structuration et le fonctionnement de nos sociétés. Quels sont les facteurs, matériels et idéologiques, expliquant qu'elle a été considérée exclusivement comme un bien, sans que les dégâts qu'elle a provoqués, sur la nature ou sur les hommes, aient été pris en compte dans la grande balance des gains et des pertes ? Quelles sont les causes à l'origine de la croissance et du caractère effréné qu'a pris son rythme ? Pouvions-nous maîtriser celui-ci, le rendre plus compatible avec le soin à apporter à notre environnement et notre santé sociale ? Il est essentiel de le comprendre pour se libérer de sa mystique, évacuer le mythe de l'illimité, reprendre la main sur ce processus incontrôlé, qui a emporté les sociétés occidentales et emporte à leur tour les pays émergents.

Certains objecteront que la bifurcation et le nouveau modèle de civilisation que nous appelons de nos vœux ne sont que l'habillage discret du déclin occidental. Ne serions-nous pas en train d'inventer de bonnes raisons pour maquiller en choix une situation que nous subissons et pour empêcher les pays qui nous rattrapent de ne pas trop creuser l'écart avec nous ? C'est ce qu'ont tendance à reprocher les pays émergents aux pays dits développés : vous avez profité, bénéficié de taux de croissance exceptionnels, ce qui vous a permis de prendre le pouvoir et d'organiser l'appropriation des terres, des ressources et des connaissances décisives. C'est vous qui avez produit ces émissions de gaz à effet de serre qui menacent la stabilité du climat mondial, et vous voudriez nous empêcher d'accéder aux mêmes conditions de vie, nous empêcher de vous égaler !

Pis encore, ce raisonnement qui consiste à plaider pour un autre type de croissance, un au-delà de la croissance, ne serait-il pas le seul fait des perdants de la mondialisation, de ceux que l'on appelle fâcheusement les PIGS[1] et de la France, dont les taux de croissance sont ridicules, contrairement à l'Allemagne, aux pays du Nord et aux États-Unis ? Le discours prônant un ralentissement du rythme de la croissance au nom des menaces pesant sur l'environnement ne serait-il pas la dernière trouvaille des perdants, des déclassés, des ratés ?

Le penser, c'est continuer à croire dans la mystique de la croissance, ne pas voir qu'il est impossible de continuer ainsi, refuser que la bifurcation s'engage dès maintenant. C'est continuer à raisonner dans les mêmes termes qu'auparavant, dans les cadres rigides que nous a, hélas, légués la discipline économique. On se réfère ainsi doctement au déversement d'Alfred Sauvy ou à la destruction créatrice de Schumpeter pour soutenir qu'il nous faut consentir aux processus en cours. On nous dit que tous nos malheurs viennent du fait que nous ne les avons pas suffisamment encou-

---

1. C'est ainsi que certains journaux américains présentent les pays d'Europe du Sud qui ont le plus de mal dans la crise : Portugal, Italie, Grèce, Espagne.

14

ragés. Nous ne devrions pas résister à la destruction des emplois devenus improductifs, mais au contraire, l'accepter joyeusement. Il nous faudrait alimenter sans fin le processus d'innovation des biens et des services de manière à nourrir éternellement la machine à créer de la croissance.

Mais ce raisonnement ne règle pas notre problème de fond. Sauf à croire qu'un investissement massif dans l'innovation et la recherche-développement provoquera le bond technologique susceptible de garantir le découplage entre la production et les dégradations commises sur le climat ou la nature.

Engager cette grande bifurcation suppose de résoudre trois questions. La première est notre capacité à nous affranchir de la dictature du court terme pour inscrire dès maintenant le long terme dans nos actions. Comment lutter ici et maintenant contre l'explosion du chômage et de la précarité, qui exige d'immenses financements, tout en remboursant la dette et en réduisant notre dépendance énergétique, sans relancer la croissance ? L'accord qui existait au tout début de la crise, en 2008, avait permis la mise en place de plans de relance verts ; des alliances inédites s'étaient nouées entre syndicats et mouvements écologistes : une véritable *cause commune* avait émergé, qui n'a pas résisté à l'approfondissement de la crise. Les velléités de régulation de la finance sont restées lettre morte, la crise des dettes souveraines s'est développée, les politiques d'austérité ont été déclenchées. Les syndicats sont désormais déchirés entre la défense de l'emploi et la résolution de la question écologique car les deux semblent contradictoires. Le défi est de reconstruire une cause commune qui permette de prendre à bras-le-corps et de tenir ensemble la question écologique et la question sociale. Car la résolution de la première est la condition de celle de la seconde. À cette fin, des alliances sont indispensables entre syndicats, travailleurs et consommateurs pour réfléchir à la question de la qualité des produits, du travail, de la vie.

Par ailleurs, nous accorder sur la rupture nécessaire avec le modèle de développement antérieur ne dit rien sur les alternatives concrètes. Telle est la deuxième question. Après la crise, le bonheur ? Celui-ci peut-il servir de boussole concrète à l'action publique ? Peut-il constituer le principe du monde que nous voulons ? En serions-nous restés à l'utilitarisme de Bentham et au bonheur du plus grand nombre ? Je ne crois pas qu'il s'agisse d'une alternative suffisante. Ce dont nous avons besoin, c'est d'une politique publique globale et intégrée qui s'appuie sur bien d'autres éléments que l'agrégation des bonheurs individuels : sur des choix collectifs, réellement débattus et décidés ensemble, prenant en compte le niveau de production, mais aussi sa qualité et sa durabilité, le tout sous la contrainte de normes environnementales et sociales strictes. Une telle politique est-elle compatible avec le capitalisme tel que nous le connaissons ? J'en doute. Il nous faut donc surmonter non seulement l'opposition obsolète entre néolibéralisme et keynésianisme, mais aussi celle entre communisme et capitalisme. Les deux régimes ont fait preuve du même attachement à la maximisation de la production et tous deux l'ont érigée en priorité absolue.

C'est à un troisième type de dépassement qu'appelle cet ouvrage. Une synthèse au sens hégélien du terme, capable de conserver ce qu'il y a de meilleur dans les deux termes supprimés. Les Grecs ont inventé la démocratie, et ils ont su aussi limiter l'emprise de l'économie sur le reste de la vie, conserver à l'action politique son caractère essentiel, obtenir de chacun le respect du sens de la mesure et de la limite. Les Modernes ont découvert le pouvoir émancipateur de l'économie, du travail et de l'argent ; ils ont réussi, si l'on suit Louis Dumont, à passer de la tutelle des hommes sur les hommes à celle des hommes sur les choses (et sur la nature). Nous avons à surmonter ces deux moments, dont chacun présente des limites. Ce livre est un plaidoyer pour un troisième moment, pour un retour au moment grec dans ce qu'il avait de meilleur : le sens de la limite et de la mesure, la passion de la démocratie ; pour une intégration de ce que le moment moderne a eu d'excellent : l'émancipation, le refus des tutelles, la sortie de la minorité pour les femmes et les non-citoyens, la croyance au progrès, la reconnaissance du travail et de l'individu. Ce troisième moment est nécessaire, il doit nous permettre de rompre avec ce que les deux moments ont présenté comme limites : le caractère réduit de la démocratie à Athènes, la folie de la croissance à tout prix des Modernes. Il est un appel à ouvrir, au plus vite, cette nouvelle ère.

Qui donnera l'impulsion décisive permettant de modifier la trajectoire sur laquelle est engagée l'humanité ? Sans doute est-ce la question la plus difficile. Avons-nous besoin de cette « tyrannie bienveillante » que le philosophe Hans Jonas pensait seule capable de surmonter les divisions, d'endiguer la violence, de faire taire les intérêts particuliers et d'imposer les changements radicaux exigés par la situation ? Ou devons-nous au contraire faire plus que jamais confiance à la démocratie pour tracer le nouveau chemin ? Une réelle démocratisation des choix auxquels nous sommes confrontés semble évidemment préférable. Elle suppose néanmoins déjà acquises les vertus qui deviendront cardinales par la suite – et dont Rousseau, comme les Anciens, considérait qu'elles conditionnaient tout le reste : la tempérance, la simplicité de mœurs, l'attachement passionné à l'égalité... Elle exige d'aller aussi loin que possible dans la voie ouverte par l'auteur du *Contrat social* et du *Discours sur l'origine des inégalités parmi les hommes* : « Beaucoup d'égalité dans les rangs et dans les fortunes sans quoi l'égalité ne saurait subsister longtemps [...] peu ou point de luxe ; car ou le luxe est l'effet des richesses, ou il les rend nécessaires ; il corrompt à la fois le riche et le pauvre, l'un par la possession l'autre par la convoitise ; il vend la patrie à la mollesse, à la vanité ; il ôte à l'État tous ses citoyens pour les asservir les uns aux autres, et tous à l'opinion. »

Cette démocratisation des choix nécessite donc certainement de rompre avec une partie des croyances qui sont devenues nôtres avec l'avènement de la modernité : le caractère intrinsèquement bon de la maximisation de la production, le progrès confondu avec l'augmentation des quantités, de l'efficacité et de la puissance ; la passion du luxe et de l'enrichissement personnel ; la satisfaction individuelle érigée en critère principal d'évaluation... Elle exige de rompre avec l'espace que nos sociétés modernes ont laissé l'économie occuper : la remettre à sa place, à la fois comme partie de la réalité et comme discipline, mettre un terme à ses prétentions illégitimes à décrire le monde réel et le monde que nous voulons, apprendre à l'ensemble des disciplines à travailler de concert sans qu'aucune ne s'arroge le pouvoir d'écrire le futur, les obliger, comme les experts, à se confronter systématiquement à des assemblées citoyennes... tels devraient être les préliminaires du changement de civilisation que nous appelons de nos vœux.

INTRODUCTION

Publié à un moment où la détresse provoquée par le repli de la croissance est à son comble dans nos sociétés occidentales, notamment européennes, ce livre est un appel à considérer la crise que nous traversons comme l'occasion de changer radicalement de mode de développement. Les politiques d'austérité sont mortelles. Le retour aux politiques de relance de la croissance que nous avons connues antérieurement ne peut pas être une solution. Nous avons besoin d'investissements massifs dans la reconversion écologique mais aussi de nouvelles manières de produire, de consommer et de partager qui constituent la seule voie pour faire face au changement climatique, redistribuer l'emploi et changer profondément le travail. La possibilité que la croissance ne revienne pas, ou revienne à des taux et sous des formes radicalement différentes est donc sans doute, contrairement à ce que l'on entend aujourd'hui, une bonne nouvelle.

COMPRENDRE

Chapitre premier

La maison brûle : où l'on découvre
que les mauvaises nouvelles s'accumulent
pour l'environnement (et donc pour nous)

« Notre maison brûle et nous regardons ailleurs. La nature, mutilée, surexploitée, ne parvient plus à se reconstituer, et nous refusons de l'admettre. L'humanité souffre. Elle souffre de mal-développement, au Nord comme au Sud, et nous sommes indifférents. La Terre et l'humanité sont en péril, et nous en sommes tous responsables. » Ainsi s'exprimait le président de la République française, Jacques Chirac, le 2 septembre 2002, en ouverture du discours prononcé à Johannesburg devant l'assemblée plénière du IVe Sommet de la Terre. À l'époque, de nombreux commentateurs avaient souligné l'audace de ce discours, considérant qu'il symbolisait enfin la prise de conscience par les plus hautes autorités de la gravité de la situation.

En 2006, le rapport de Nicholas Stern [1] constituait un nouveau coup de tonnerre. L'économiste affirmait : « Les preuves scientifiques sont maintenant accablantes : le changement climatique constitue une menace planétaire grave et exige une réponse mondiale de toute

---

1. Nicholas Stern, *Stern Review : The Economics of Climate Change*, HM Treasury, 2006.

urgence. » Continuant ainsi : « Le changement climatique affectera les éléments fondamentaux de la vie pour des pans entiers de la population de par le monde – l'accès à l'eau, la production de nourriture, la santé ainsi que l'environnement. Des centaines de millions de personnes pourraient souffrir de la faim, de la pénurie d'eau et d'inondations côtières au fur et à mesure que la planète se réchauffe. » Si l'économiste chiffrait alors l'action nécessaire pour éviter l'occurrence de tels risques à 1% du PIB mondial (investir 1% du PIB chaque année permettrait d'éviter des dommages susceptibles de s'élever à 20% du PIB ou plus), il affirmait deux ans plus tard avoir gravement sous-estimé l'ampleur des risques climatiques.

Parmi l'ensemble des risques, celui qui concerne le climat est à l'évidence le plus médiatisé, car le plus redoutable et le plus susceptible d'entraîner des conséquences mal connues (notamment du fait des effets de seuil), mais potentiellement catastrophiques et irréversibles. Il est relativement récent : le rapport Meadows, commandé par le Club de Rome en 1970 et publié en 1972 sous le titre *The Limits to Growth*[1], qui avait attiré l'attention sur les dangers de notre mode de développement et s'était attiré une audience mondiale, n'y faisait aucune allusion, se concentrant sur les conséquences de la pollution et de l'épuisement des ressources naturelles. C'est en 1988 seulement que la question du réchauffement climatique global a commencé d'être érigée en « risque majeur ». L'épisode de

---

1. Littéralement, « les limites à la croissance ». Donella H. Meadows, Dennis L. Meadows, Jörgen Randers, William W. Behrens, *The Limits to Growth*, Universe Books, 1972. Le livre a été publié en français sous le titre : *Halte à la croissance*, Paris, Fayard, 1972.

sécheresse exceptionnelle aux États-Unis servit de révélateur, des climatologues américains et l'Organisation météorologique mondiale alertant alors l'opinion. Et c'est à ce moment que fut créé le GIEC, Groupe intergouvernemental d'étude du climat, dont la mission était de rassembler sur cette question toute l'information scientifique nécessaire, selon des procédures strictes. Tout au long de ses rapports, le GIEC a précisé la nature et l'ampleur de ce nouveau risque.

En 1990, dans le premier rapport, les experts prédisaient une augmentation de la température de 0,3 °C par décennie au cours du XXIe siècle, en insistant sur les incertitudes entourant leurs résultats. Le deuxième rapport, écrit en 1995, estimait plus précisément le changement climatique intervenu au XXe siècle, l'imputant en partie à l'humanité elle-même : « En moyenne globale, la température à la surface a augmenté de 0,3% à 0,6% environ depuis la fin du XIXe siècle. Cette évolution n'est vraisemblablement pas d'origine strictement naturelle. » Il rappelait que l'objectif de la convention-cadre sur les changements climatiques[1] est de « stabiliser [...] les concentrations de gaz à effet de serre dans l'atmosphère à un niveau qui empêche toute perturbation anthropique dangereuse du système climatique ». En 2001, présentant des projections jusqu'à la fin du XXIe siècle, le GIEC confirmait que le réchauffement climatique est bien imputable aux activités humaines, avant d'affiner son diagnostic en 2007, date du dernier rapport dont nous disposons. Il y est

---

1. Elle a été adoptée au cours du Sommet de la Terre de Rio de Janeiro en 1992 par 154 États, plus les membres de la Communauté européenne. Elle est entrée en vigueur le 21 mars 1994. Elle a pour objet de mieux cerner la nature du changement climatique et d'y apporter des solutions.

notamment indiqué que « les émissions mondiales de GES imputables aux activités humaines ont augmenté depuis l'époque préindustrielle et la hausse a été de 70% entre 1970 et 2004 ». Le GIEC indique également que « la poursuite des émissions de GES au rythme actuel devrait accentuer le réchauffement et modifier profondément le système climatique au XXIe siècle ».

Dans cette représentation, le facteur explicatif central est représenté par les émissions de gaz à effet de serre (GES) : du fait de leur accumulation dans l'atmosphère, ces derniers font obstacle à la diffusion des rayons infrarouges émis par la Terre, contribuant ainsi à conserver la chaleur et à réchauffer l'atmosphère et la surface de la planète. Si les GES sont « naturels » et existent dans l'atmosphère depuis toujours, nous avons directement contribué, par notre activité, à en ajouter, et même à les démultiplier puisque la combustion d'énergie fossile (pétrole, gaz, charbon) constitue une de leur principale source de production. D'après le GIEC, une réduction de l'émission de ces GES de 50 à 85% entre 2000 et 2050 est nécessaire. Un réchauffement supérieur à 2 °C serait susceptible d'entraîner un changement climatique dont il n'est possible de prévoir ni l'ampleur ni les effets, qui pourrait être pourtant dramatique, incluant non seulement fonte des glaces polaires, tempêtes tropicales, précipitations plus fortes ou insuffisantes selon les zones, augmentation de l'intensité des cyclones, élévation du niveau des mers, acidification des océans, mais aussi désertification de grandes parties de la Terre, pertes de biodiversité, baisse des ressources en eau et, d'une manière générale, dégradation des conditions de vie de tout ou partie de la planète. Dans son rapport de 2007, le GIEC estimait l'augmentation de la température dans une fourchette de 1,8 °C à 4 °C, et précisait que les conséquences d'un tel réchauffement seraient différenciées selon les zones géographiques et les populations, les plus pauvres ayant le plus à en souffrir.

Mais le risque climatique est loin d'être le seul. Quatre autres types de risques au moins nous menacent, quoique de manière différente. Le premier est la disparition à plus ou moins brève échéance des ressources naturelles fossiles (pétrole, charbon...) et des minerais (cuivre, étain, chrome, zinc, argent...) que nous utilisons massivement pour assurer nos conditions de vie actuelles. Concernant le pétrole, l'Agence internationale de l'énergie a indiqué que l'ère du pétrole bon marché était terminée : le rapport 2010 de cette organisation suggère que la production de pétrole pourrait se maintenir au même niveau pendant une trentaine d'années. Les experts débattent de la question de savoir si le début de la déplétion prendra la forme d'un plateau (diminution progressive et lente) ou d'un pic brutal. Rappelons que le pétrole non seulement constitue 60% des besoins énergétiques de la planète, mais entre dans la composition d'un nombre extraordinairement élevé de biens et de services, ce qui signifie que l'augmentation de son prix, puis sa disparition, représenteront pour le monde une véritable catastrophe. Dans un rapport rendu en mai 2011[1], le Programme des Nations Unies pour l'environnement (PNUE) indiquait qu'outre le pétrole, le cuivre et l'or voyaient également leur gisement s'épuiser et que le taux de consommation des ressources naturelles, en perpétuelle augmentation,

---

1. Programme des Nations Unies pour l'environnement, *L'Économie verte*, 2011.

risquait d'atteindre les 140 milliards de tonnes en 2050.

Le deuxième risque est la pollution que nous générons à l'occasion de nos actes de production, de consommation, de déplacement... qui contribue à dégrader à la fois notre santé et nos conditions de vie, mais également celles des autres espèces et des écosystèmes. Une grande partie de cette pollution est produite par l'usage de ces combustibles fossiles et de leurs dérivés non recyclés, mais aussi par les produits chimiques dont nous avons multiplié l'utilisation, notamment dans notre agriculture, donc dans notre alimentation. Ces deux risques étaient au cœur du rapport Meadows : celui-ci comportait des modèles visant à démontrer que le mode de développement du monde occidental était insoutenable et que la croissance s'effondrerait avant la fin du XXIe siècle en raison, soit de l'épuisement des ressources naturelles, soit d'une intense pollution. Des travaux très récents ont mis en évidence que parmi les trois scénarios d'évolution envisagés par les chercheurs, c'est celui intitulé *Business as Usual* qui s'était effectivement déroulé et que la plupart des hypothèses des Meadows avaient été vérifiées [1].

Le troisième risque est la réduction de la biodiversité, qui semble s'accélérer, comme l'ont montré plusieurs rapports officiels, en particulier le *Millenium Ecosystems Assessment* publié en 2005. Commandé par l'ONU et visant à faire la synthèse de l'ensemble des travaux disponibles sur les changements intervenus

---

1. Graham Turner, « The Comparison of the Limits to Growth with Thirty Years of Reality, Socio-Economics and the Environment in Discussion », *CSIRO Working Papers series*, 2008-2009, juin 2008.

dans les écosystèmes, ainsi que les conséquences de ceux-ci sur le bien-être humain, sa réalisation avait nécessité la collaboration de 1 360 experts provenant de 95 pays qui avaient produit trois résultats majeurs : environ 60% des services d'origine écosystémique étudiés sont en cours de dégradation ; les changements provoqués au niveau des écosystèmes augmentent la probabilité d'apparition de changements non linéaires (c'est-à-dire brutaux) ; les effets néfastes de la dégradation des écosystèmes sont subis de manière disproportionnée par les pauvres.

Un article publié en juin 2012 par la revue *Nature*, cosigné par 22 scientifiques appartenant à de très nombreuses disciplines et intitulé « Approaching a State Shift in Earth's Biosphere[1] » a confirmé ces résultats dans des termes susceptibles de provoquer une légitime inquiétude. Les auteurs y rappellent que « désormais les humains dominent la Terre et la modifient selon des modalités qui menacent sa capacité à nous supporter, nous et les autres espèces ». Ils soulignent que les transitions critiques causées par des effets de seuil peuvent conduire à des changements d'états et que les humains sont en train de *forcer* une telle transition, avec la possibilité de transformer la Terre de manière rapide et irréversible en un état que l'humanité n'a encore jamais expérimenté. Ils émettent deux recommandations : comprendre les causes profondes de ce changement global mis en œuvre par les êtres humains et prendre des mesures urgentes pour organiser la résilience de nos sociétés, dont celle des écosystèmes.

---

1. Anthony D. Barnosky et al., « Approaching a State Shift in Earth's Biosphere », *Nature*, vol. 486, 7 juin 2012, p. 52-58.

Enfin, le risque nucléaire, au cœur des craintes au cours des années 1980, notamment avec l'accident de Tchernobyl et qui a refait irruption avec violence à l'occasion des événements de Fukushima, constitue un type de risque différent, se présentant plus sous la figure de l'accident catastrophique que de la menace diffuse avec effets de seuil.

Notons que du point de vue du risque climatique, qui apparaît aujourd'hui comme le « père » de tous les risques dans la mesure où ses conséquences sont multidimensionnelles, nous nous orientons actuellement plutôt vers les scénarios les plus pessimistes du GIEC, comme le confirmait en novembre 2012 Jean Jouzel, le vice-président de cette institution. Il réagissait à la publication d'un rapport de la Banque mondiale évoquant une possible augmentation de la température mondiale moyenne de 4 °C dès 2060, ce qui déclencherait, selon l'institution internationale, « une cascade de changements cataclysmiques ». « On se situe plutôt maintenant dans le scénario A2 du GIEC qui prévoit une augmentation de 3 à 4 °C des températures moyennes d'ici 2100 », indiquait Jean Jouzel, ajoutant : « Au final, il faudrait d'abord diviser les émissions par trois puis ne plus émettre du tout jusqu'en 2100. »

Tout semble ainsi converger, dans la mesure où nous accordons notre confiance aux nombreux travaux qui décrivent ces situations, pour signifier que l'humanité est au bord d'une série de catastrophes si rien n'est fait. Catastrophes qui pourraient se traduire, selon les scénarios, par des hausses de prix insupportables mettant les pays importateurs d'énergie à genoux et aggravant l'actuelle crise économique ; par des guerres destinées à privatiser les stocks de

ressources restants ; par des pénuries que seuls des gouvernements totalitaires parviendraient à traiter. Catastrophes qui ont été annoncées par de nombreux
scientifiques de tous bords et de toutes appartenances
depuis plusieurs années.

CHAPITRE 2

Peut-on faire confiance aux experts :
où l'on se demande dans quelle mesure
on peut accorder foi aux récits déprimants
des scientifiques

Nous sommes tous – simples citoyens et profes-
sionnels titulaires de savoirs spécifiques – dépendants
de ce que nous disent les scientifiques et les experts
qui alertent l'opinion et accumulent les données pour
mettre en évidence l'ampleur de la menace : les climatologues, les physiciens, les biologistes, les paléon-
tologues, les géographes, les économistes qui pointent
les graves dégradations auxquelles la Terre est confrontée parlent un langage spécialisé et recourent le plus
souvent à une formalisation très poussée, qui constitue un obstacle de taille pour une vérification et une
mise en débat des hypothèses et des résultats. Même
si le savoir des chercheurs est diffusé dans des revues,
contrôlé par leurs pairs et médiatisé par des institutions (comme le GIEC), il n'en reste pas moins que
la plupart des citoyens doivent consentir un quasi-
acte de foi. Le degré de confiance que l'on peut
accorder aux scientifiques, à leur parole, à leurs
conclusions, constitue donc un élément particulièrement important.

33

Cette interrogation recouvre trois questions : 1) L'évaluation par les pairs est-elle suffisante pour éviter les erreurs de diagnostic et aboutir à des certitudes ? 2) Peut-on laisser une unique discipline dérouler ses raisonnements à partir de ses postulats et de ses axiomes sans discussion avec d'autres disciplines, et sinon, comment organiser un dialogue fécond entre des sciences qui n'ont ni les mêmes méthodes ni les mêmes hypothèses ? 3) Peut-on laisser les scientifiques-experts contraindre la décision publique, donc risquer de mettre la démocratie entre parenthèses ?

La première question nous renvoie aux conflits qui ont accompagné ces dernières années la publication des rapports du GIEC, mais plus généralement la publication de résultats scientifiques remettant en cause des certitudes, des intérêts, des habitudes, des traditions, des croyances. Ceux que l'on a appelé les « climato-sceptiques » ont beaucoup donné de la voix, en France, par l'intermédiaire de Claude Allègre ou de Vincent Courtillot, qui ne remettent pas en cause la réalité du réchauffement climatique, mais son imputation à l'activité humaine. Les remises en cause ont été également fortes au sujet des diagnostics réalisés sur l'état du stock de poissons, le pic pétrolier, la capacité des énergies renouvelables à prendre le relais des énergies fossiles, la sécurité du nucléaire… Et les doutes concernent également la capacité du progrès technologique à nous permettre d'échapper victorieusement à la menace qui pèse sur l'humanité. L'honnête homme a de quoi se sentir démuni et mal armé pour faire le tri dans l'abondance d'informations souvent contradictoires.

Pourtant, la production des connaissances scientifiques consacrées ces dernières années au climat, à la biodiversité, aux ressources naturelles présente des garanties. D'abord, elle obéit aux règles classiques : il s'agit, pour un scientifique d'une discipline donnée, de publier dans des revues dotées d'un comité de lecture où les procédures d'évaluation sont très rigoureuses et consistent en général à demander aux spécialistes de la discipline, donc aux pairs, une double lecture des textes préalablement rendus anonymes, puis, si nécessaire, à consacrer une discussion collective à l'article en comité de rédaction. Par ailleurs, la production d'un certain nombre de rapports officiels par des organisations internationales ou des institutions mises en place pour évaluer les informations scientifiques et techniques dans certains domaines a été entourée de nouvelles précautions visant à obliger les meilleurs experts du monde entier à travailler ensemble et à confronter leurs résultats selon des procédures strictes.

Le GIEC a ainsi été créé en 1988 pour expertiser l'information scientifique, technique et socio-économique sur le risque de changement climatique provoqué par l'homme, donc pour faire la synthèse de tous les travaux de recherche réalisés sur ces sujets et ayant fait l'objet d'une publication scientifique. Il rassemble des centaines de chercheurs, dont Amy Dahan écrit[1] qu'il s'agit des « meilleurs d'entre eux », précisant que « les rapports sont préparés par des équipes de rédacteurs, durement sélectionnés sur la base de leurs compétences scientifiques » et qu'ils suivent des règles extrêmement sévères pour les publications[2]. Jean-Marc Jancovici fait

---

1. Amy Dahan, « Le changement climatique, une expertise entre science et politique », *La Revue pour l'histoire du CNRS*, 2007. Voir aussi Amy Dahan-Dalmedico (dir.), *Les Modèles du futur. Changement climatique et scénarios économiques : enjeux politiques et économiques*, Paris, La Découverte, 2007.

2. « Le processus de referee est très long et très lourd : les rédactions des chapitres devront passer par deux stades d'examen et de réécriture, d'abord par des pairs scientifiques, ensuite par les

remarquer que ces rapports ont tous été approuvés à l'unanimité et que l'on peut donc considérer que « tout ce qui fait l'objet d'un consensus dans les rapports du GIEC peut être tenu pour une certitude[1] ».

Il faut néanmoins rappeler que le GIEC n'est pas un laboratoire de recherches ni une instance exclusivement scientifique : il assure, comme l'écrit Amy Dahan, « une expertise entre science et politique » dans la mesure où ce ne sont pas les chercheurs qui sont membres du GIEC mais les nations. Les personnes siégeant aux assemblées du GIEC ne font que représenter les pays membres. C'est l'assemblée générale du GIEC, où chaque pays dispose d'une voix, qui définit le programme de travail de l'institution. Par ailleurs, il est loin le temps où l'on pouvait croire que la science livre des résultats objectifs dans toute leur pureté aux politiques : il y a en réalité coconstruction entre science et politique, comme l'ont montré les travaux de sociologie des sciences. Le GIEC, écrit ainsi Amy Dahan, « a contribué à reconfigurer la recherche en mettant en avant des questions jusque-là peu considérées ». Il est également dépendant du contexte général dans lequel s'effectuent les travaux, qu'il s'agisse de la demande sociale de recherches susceptibles d'orienter l'action (d'où la production de scénarios), ou de la présence de gouvernements qui peuvent constituer *de facto* une limite à l'imagination. Ainsi, un astrophysicien qui tient depuis quelques années un blog sur le changement climatique et les questions d'énergie fait-il remarquer que « tous les scénarios, sans

---

pairs et les gouvernements. Les rapports finaux devront être adoptés en session plénière et seront accompagnés de résumés techniques et de "résumés pour les décideurs" ; ceux-ci devront être approuvés ligne par ligne. »

1. Jean-Marc Jancovici, site Manicore, 2008.

exception, font l'hypothèse d'une croissance économique continue de l'ordre de 2% par an dans tout le XXIe siècle[1] ». Il explique ce choix de la manière suivante : « Le fait que le GIEC soit un organisme gouvernemental interdit d'imaginer une autre perspective qu'une croissance continue. » Plus précisément, c'est sans doute la partie scénario qui peut poser le plus de problèmes : les résultats des climatologues sont en effet ensuite intégrés dans des scénarios – à l'instar du rapport Meadows – qui comportent différents jeux d'hypothèses et mériteraient sans doute d'être davantage discutés.

La consultation de panels d'experts mondiaux n'est pas l'apanage du GIEC : les rapports récents du PNUE sur les ressources rares ou le *Millenium Ecosystems Assessment* sur la biodiversité ont aussi été réalisés grâce à la collaboration de milliers de scientifiques du monde entier. Certes, la présence des meilleurs spécialistes d'une discipline n'évite pas les erreurs collectives, la pression des normes ou des cadres intellectuels ou sociaux d'une époque, ou encore de mauvaises imputations. Elle ne règle pas non plus notre deuxième question, celle de savoir si une seule discipline peut ou non légitimement décrire la situation actuelle et les voies de sortie, alors même que la plupart des sciences sont aujourd'hui extrêmement formalisées, donc d'un accès quasi impossible non seulement aux citoyens, mais aussi aux autres disciplines.

Donnons quelques exemples. Est-il légitime qu'un économiste, aussi brillant soit-il, propose un rapport sur le changement climatique dont les équations sont inaccessibles au commun des mortels et dont les

---

1. Le blog de l'énergie et du climat, http://www.energieclimat.net/article-scenario-depletionniste-iii-comparaison-avec-le-giec-102842674.html.

principales hypothèses (par exemple sur le taux d'actualisation[1]) ne sont pas explicitées en termes clairs ? Est-il justifié que des économistes décrivent le monde qui vient avec les hypothèses du modèle de la théorie économique standard[2] ? Est-il envisageable de ne prendre en considération, pour prendre les décisions qui s'imposent, que les descriptions et prescriptions produites soit par des climatologues, soit par des biologistes, soit par des physiciens, soit par des économistes ? Plus généralement, peut-on laisser chaque discipline élaborer son propre modèle, chacune possédant sa méthode, son langage, son histoire, ses hypothèses, son axiomatique et ses modes de représentation ?

On rétorquera que le GIEC, par exemple, ne réunit pas seulement des climatologues, mais des spécialistes d'autres sciences naturelles, ainsi que des sociologues et des économistes qui sont censés alimenter les différents scénarios. Toute la question est de savoir s'ils travaillent vraiment ensemble, s'ils parlent le même langage, s'appuient sur des représentations communes, utilisent les mêmes formalisations ou au moins les mêmes unités de base pour la formalisation, mobilisent les mêmes unités de compte ou de mesure. Amy Dahan considère que bien qu'ils soient articulés les uns aux autres, les modèles économiques et climatologiques ne sont pas assez en osmose, et qu'il faudrait que les modèles climatiques et économiques s'hybrident beaucoup plus, qu'ils fonctionnent en boucle.

---

1. Nous y reviendrons plus loin (chapitre X). Le taux d'actualisation relie la valeur future d'un bien à sa valeur actuelle.
2. Notamment la rationalité des acteurs dont le seul objectif est de maximiser leurs intérêts ; la théorie de l'équilibre ; l'optimalité du marché concurrentiel…

On lira avec intérêt les critiques définitives que l'historien des idées Nicolas Bouleau[1] ou l'économiste Bernard Guerrien[2], tous deux mathématiciens (et tous deux ayant suffisamment avancé dans la carrière pour ne pas craindre de s'exprimer librement), adressent aux économistes, notamment aux économistes classiques s'agissant de leur manière de modéliser l'environnement. « Je suis stupéfait, écrit ainsi Nicolas Bouleau, qu'on ose encore raisonner sur l'environnement en pensant l'humanité sur la planète comme une entreprise avec un bien interne et un bien externe et régie par une fonction de production, petite équation paramétrée comme on en emploie pour raisonner en microéconomie pour le bilan d'une entreprise. C'est ce qui est fait encore aujourd'hui aux plus hautes instances académiques [...] C'est une imposture. La logique économique est foncièrement incapable de penser ses propres limites... L'économie lorsqu'elle fait appel aux raisonnements de la théorie néoclassique demande une adhésion. Elle propose un cadre de pensée auquel on doit faire confiance. Mais devant les profits indus et les dégâts constatés, on ne peut plus lui faire crédit, son capital de confiance s'effondre[3]. »

Ce texte attire notre attention sur plusieurs points essentiels. D'abord, chaque discipline a son propre

1. Nicolas Bouleau, « Une pensée devenue monde », *Esprit*, novembre 2009, p. 130-146.
2. Bernard Guerrien, *L'Illusion économique*, Paris, Omnisciences, 2007.
3. Nicolas Bouleau, « Raisonnement économique et biodiversité », avril 2011, http://www.leblogdudd.fr/2011/04/28/raisonnement-economique-et-biodiversite-par-nicolas-bouleau-invite/, paru sous une forme légèrement différente dans *Esprit*, août/septembre 2011, p. 238 et suivantes.

corpus d'hypothèses, qu'elle est la seule à avoir adopté et que seuls ses membres peuvent critiquer à quelques exceptions près étant donné le coût d'entrée dû à la formalisation. Il est donc tout à fait possible que chaque discipline raconte sa propre histoire avec ses propres mots sans que personne n'ait la capacité de vérifier la pertinence des hypothèses, des variables ou du modèle. Ensuite, une discipline peut organiser l'hégémonie de l'un de ses courants (ainsi l'économie dite néoclassique au sein de l'économie) au moyen de la prise de contrôle des revues et des carrières [1]. Dès lors, l'unanimité d'une discipline peut être uniquement de façade et ne pas être aussi déterminante que les effets de prise de parole pourraient le laisser penser. Il importe donc que les instances qui souhaitent mobiliser les chercheurs d'une discipline soient capables de faire travailler l'ensemble de ses courants, faute de quoi elles n'entendront qu'une partie de l'histoire. Enfin, ce texte montre que faire confiance à une unique discipline est impossible. Le monde ne peut pas s'écrire exclusivement en langage économique, mathématique, physique ou biologique.

Les hypothèses doivent être confrontées, et surtout, les langages doivent faire l'objet de traductions, les unités de base être discutées, la grammaire et la conjugaison devenir communes. Écrire le monde actuel, et plus encore le monde que nous voulons, exige de parler un langage commun, ou au moins d'organiser des passerelles entre les différents modes de représentation. Cette confrontation radicale entre disciplines est non

1. C'est ce qui s'est passé en économie, le courant « hétérodoxe » ayant été quasiment éradiqué par les « orthodoxes » dont les idées ont eu le vent en poupe ces trente dernières années. Mais les choses sont peut-être en train de se renverser avec le développement de l'AFEP qui cherche à promouvoir le pluralisme en économie.

seulement inusitée, mais le plus souvent rendue quasi impossible, du fait même de l'organisation du champ académique, où les frontières et les spécificités territoriales importent, où les critères et les instances d'évaluation conditionnant les carrières valorisent l'appartenance stricte à la discipline et les caractères spécifiques qui la démarquent des autres. Si cet échange est rarement organisé de manière systématique et approfondie, il resterait à voir de quelle nature est la coopération instituée entre les disciplines représentées au GIEC et notamment au terme de quelles discussions sont décidés les hypothèses et les scénarios.

La troisième question, celle du rapport entre expertise et démocratie, reste entière. Le récent livre de Michaël Foessel, *Après la fin du monde*[1], la met parfaitement en scène : avec leurs discours catastrophistes, leurs « vérités » assénées et leur préférence absolue pour la vie, les experts priveraient tout simplement les citoyens de leur liberté de décider et bâillonneraient en quelque sorte la démocratie. Nous reviendrons sur cette importante critique, mais retenons pour l'heure que la mise en évidence des risques telle qu'elle apparaît dans les différents travaux scientifiques que nous avons cités laisse au contraire un assez large choix à l'humanité, et qu'après tout, rien n'empêche un peuple de préférer la disparition à la survie à tout prix. La vraie question est plutôt celle de la possibilité d'un accord entre les pays pour adopter une série de politiques capables d'éviter l'occurrence de ces risques.

---

1. Michaël Foessel, *Après la fin du monde*, Paris, Le Seuil, 2012.

CHAPITRE 3

La croissance en question :
où l'on s'interroge sur les raisons
de notre focalisation sur la production

Les informations que nous livrent les scientifiques
nous obligent à une relecture de notre passé, à une
réinterprétation critique. Tout se passe – ainsi que le
soulignaient déjà Bertrand de Jouvenel en 1957 dans
« L'économie politique de la gratuité[1] » et, plus tard,
Ulrich Beck dans *La Société du risque*[2] – comme si les
deux siècles que nous avons tenus pour les siècles du
progrès, ceux qui ont radicalement changé les conditions de vie d'une partie des êtres humains sur Terre,
qui ont vu la croissance des économies – au moins

---

1. Dans ce texte, republié dans *Arcadie. Essais sur le mieux-
vivre*, Futuribles, Sedeis, Paris, 1968, Jouvenel écrit, à propos
d'une usine qui pollue : « Personne ne dit que cette usine produit
d'une part des biens et tout aussi concrètement d'autre part des
maux. J'estime, pour ma part, que nous devrions reconnaître que
la production a deux formes, l'une de valeur positive, l'autre de
valeur négative. La plupart des économistes refusent de parler
ainsi ; pour eux la production de valeurs positives est prouvée et
mesurée par un prix payé sur un marché, tandis que ce que nous
appelons "valeurs négatives" ne peut être ni prouvé ni mesuré par
un prix. »
2. Ulrich Beck, *La Société du risque*, Paris, Aubier, coll. « Alto »,
2001.

dans les sociétés occidentales – atteindre des taux inconnus jusqu'alors ne pouvaient plus tout à fait être qualifiés ainsi. Certes, on a montré que le travailleur moyen – si tant est que cette expression signifie quelque chose – pouvait acheter, en 1997, six fois plus de biens qu'en 1895. Certes, la croissance que les pays occidentaux ont connue depuis le milieu du XIXe siècle a amené un changement radical dans les conditions de vie de leurs ressortissants et des progrès extraordinaires en matière de lutte contre la mortalité, de santé, d'alimentation, de sécurité, de confort. Certes, comme de nombreux auteurs l'ont fait remarquer, l'immense misère sociale qui a accompagné la croissance économique et la révolution industrielle au XIXe siècle n'a peut-être pas été pire que celle qui aurait existé en leur absence.

Mais ce que nous découvrons aujourd'hui, la quantité prodigieuse de gaz à effet de serre accumulés, les prélèvements opérés sur les ressources naturelles et l'ampleur de la dégradation de celles-ci, l'augmentation considérable de la pollution et de tous les risques qui y sont associés, mais aussi le mal-être lié au développement dans un certain nombre de cas apparaît comme une conséquence directe de ces deux siècles, restée jusqu'alors invisible mais clairement imputable aux actions humaines passées : un legs devenu de plus en plus encombrant à mesure que se sont accrues la population et la croissance économique. Le fait significatif est que les émissions de gaz à effet de serre, qui existent naturellement, ont commencé à s'écarter durablement du rythme antérieur exactement avec la révolution industrielle, c'est-à-dire au moment où les sociétés commençaient à démultiplier leurs efforts, à accélérer et à profondément modifier leur action sur la nature et leur production, et à aménager « rationnellement » le monde, ou à le mettre en coupe réglée.

Beck écrivait en 1986 que nous découvrons que la production de richesses ne va pas sans production de maux. À partir de la révolution industrielle, et sans que les hommes en aient nécessairement été conscients, la production de biens et de services s'est accompagnée de dommages et de dégradations à la fois sur la nature et sur les humains et ces dégâts sont restés très longtemps invisibles, donc non pris en compte et non traités. Depuis la révolution industrielle, les immenses forces consacrées au développement de la production de biens et services et à la mise en forme de la nature pour l'usage de l'homme ont été systématiquement comptabilisées et représentées comme un « plus », comme du positif, comme un *progrès,* sans que l'opération correspondante soit réalisée, sans que les destructions opérées sur des équilibres préexistants, sur la nature, et longtemps sur les hommes eux-mêmes, aient été prises en compte.

Pourquoi une telle focalisation, à partir du XVIIIᵉ siècle, sur la production ? Pourquoi une telle débauche d'énergie dans l'activité de mise en forme du monde ? Pourquoi une telle furie de la part des sociétés qui ont engagé leur révolution industrielle, dans la transformation de la nature et de l'organisation sociale ? Pourquoi ce type de développement qui nous paraît, *a posteriori*, aussi irrespectueux des générations futures (qu'allons-nous leur transmettre ?) et des pays qui n'ont pas connu le même développement, ont été pillés et sont devenus le réceptacle des pollutions et des productions indécentes du Nord ? Pourquoi, en somme, cette disproportion dans l'usage des moyens, cette absence de souci et de soins dans l'acte de production, ce gaspillage dans l'usage du travail et de la nature ? La question revient à comprendre à quelles autres causes qu'à la seule satisfaction des « besoins naturels » la fixation sur l'augmentation de la quantité de biens et de services produits a pu répondre. Les facteurs idéologiques et les représentations – notamment ceux qui concernent les rapports entre nature et humains – n'expliquent-ils pas l'irruption et le rythme de la croissance économique au moins autant que les innovations techniques ? D'autres représentations, dont un autre rapport entre homme et nature, auraient-elles conduit à d'autres rythmes de croissance, à une plus grande modération ?

Une telle obsession ne peut pas trouver sa seule raison dans le confort que ces transformations étaient susceptibles d'apporter et commencèrent à procurer très vite : il ne s'agissait pas uniquement, comme l'écrivait Descartes lorsqu'il proposait aux hommes de se rendre « comme maîtres et possesseurs de la Nature », de vivre plus longtemps et en bonne santé ou de rendre les efforts moins douloureux. Ce déchaînement sans frein des énergies, cet excès dans l'usage (et très vite le mésusage) du travail et de la nature, cette démesure qui semblent tout à fait non « naturels[1] » ne peuvent s'expliquer que par des causes plus profondes. Il aura

---

1. En comparaison de ce que les anthropologues ou les spécialistes des civilisations anciennes nous ont appris : voir Sahlins Marshall, *Âge de pierre. Âge d'abondance. L'Économie des sociétés primitives*, Paris, Gallimard, 1976 et du même auteur *Au cœur des sociétés. Raison utilitaire et raison culturelle*, Paris, Gallimard, 1980 ; Bronisław Malinowski, *Les Argonautes du Pacifique occidental*, Paris, Gallimard, 1963 ; Philippe Descola, *Par-delà nature et culture*, Paris, Gallimard, 2006 ; Marie-Noëlle Chamoux, « Sociétés avec et sans concept de travail », *Sociologie du travail*, hors-série, 1994 ; Jean-Pierre Vernant, *Mythe et pensée chez les Grecs*, Paris, Maspero, 1965.

fallu une véritable révolution des esprits et la mise en place d'un « système » dans lequel chacun avait *intérêt* ou était contraint à participer à la dynamique d'accroissement, et surtout, une véritable révolution dans la représentation du mode d'insertion de l'homme dans la nature ou plutôt dans la relation existant entre l'homme et la nature.

Dans un article publié en 1967 et qui fit grand bruit, le médiéviste américain Lynn White se demandait – en des termes très actuels – ce qui pouvait bien expliquer ce comportement insensé de l'homme : « Vers 1285, la ville de Londres souffrait déjà d'un problème de smog dû à la combustion du charbon, écrivait-il, mais la combustion de carburants fossiles menace, elle, d'altérer la composition chimique de toute l'atmosphère du globe, avec des conséquences que nous commençons seulement à entrevoir. Si l'on ajoute à cela l'explosion démographique, la prolifération cancéreuse d'une urbanisation anarchique et maintenant la multiplication à l'échelle géologique des dépôts d'ordure et des eaux usées, on voit clairement qu'en dehors de l'homme aucune créature n'a jamais souillé son habitat avec autant de rapidité [1]. »

On pourrait croire, en continuant la lecture du texte, que la thèse défendue par l'auteur consiste à considérer la supériorité technique des Occidentaux comme la principale cause de ce nouveau rapport au monde. White raconte en effet qu'à la fin du VIIe siècle, une charrue pourvue d'un nouveau type de soc fut inventée : il fallait désormais huit bœufs pour la tirer et non plus deux. Comme ils ne possédaient souvent pas plus

1. Lynn Jr. White, « Les racines de notre crise écologique », *Krisis*, n° 15, septembre 1993.

de deux bœufs, les paysans durent mutualiser leurs bêtes et eurent donc ainsi soudainement la possibilité de produire plus qu'ils n'en avaient besoin, alors même que l'agriculture avait été jusqu'ici une agriculture de subsistance. Dès lors, écrit Lynn White, « la répartition des terres ne dépendait plus des besoins des familles mais bel et bien de la puissance et de la capacité d'une machine à labourer. La relation de l'homme à la terre s'en trouvait profondément changée. Auparavant, l'homme faisait partie de la nature : désormais, il l'exploitait ».

Ce nouveau rapport d'exploitation et de domination n'est pas tombé du ciel ou dans un sens très particulier... Il est, selon White, le produit de la victoire du christianisme sur le paganisme, qui constituerait la véritable explication de ce bouleversement radical. Le christianisme aurait amené avec lui, selon notre auteur, un ensemble de représentations et de croyances qui aurait forgé le nouveau cadre mental dans lequel les individus évoluent : « Ce que les gens font de leur milieu écologique dépend en effet de la façon dont ils perçoivent leur relation aux choses qui les entourent. L'écologie humaine est largement conditionnée par des croyances relatives à notre nature et à notre destinée – c'est-à-dire par la religion. » Ces représentations et ces croyances sont incarnées dans des textes. Et c'est notamment dans le texte de la Genèse que White trouve la justification ultime du comportement prédateur et exploiteur de l'homme vis-à-vis de la Nature.

Dans la Genèse, le monde est créé par Dieu, et l'homme s'en distingue dans la mesure où il est fait à l'image et à la ressemblance de ce dernier. L'homme a de surcroît vocation à régner sur la nature, comme le montre sans ambiguïté le verset 26 de Genèse 1 :

« Puis Dieu dit : Faisons l'homme à notre image, selon notre ressemblance, et qu'il *domine* sur les poissons de la mer, sur les oiseaux du ciel, sur le bétail, sur toute la terre, et sur tous les reptiles qui rampent sur la terre [...] Dieu créa l'homme et la femme [...] Et leur dit : Soyez féconds, multipliez, remplissez la terre, et l'*assujettissez* ; et *dominez* sur les poissons de la mer, sur les oiseaux du ciel, et sur tout animal qui se meut sur la terre[1]. » Le texte biblique contiendrait donc les composants fondamentaux d'une vision du monde en rupture complète avec le paganisme : alors que, dans l'Antiquité, chaque arbre, chaque source, chaque colline avait son propre *genius loci,* son gardien spirituel, le christianisme a, explique White, désacralisé le monde et permis l'exploitation de la nature sans que personne ne se soucie plus des sentiments des objets naturels.

Le christianisme marquerait ainsi la véritable rupture avec le monde grec, et surtout avec sa vision d'un homme inscrit dans la nature et capable de tenir enfermée son *hybris* dans les bornes de l'imitation de celle-ci. Alors que la perfection consistait, pour les Grecs, à imiter du mieux possible la Nature, la vertu de l'artisan consistant ainsi à s'y conformer strictement, le christianisme a fait de l'homme, certes, une simple créature, mais une créature réalisée à l'image de Dieu et destinée à régner sur la nature. Ce qui fait dire à White que « le christianisme est la religion la plus anthropocentrique que le monde ait jamais connue ». C'est aussi le christianisme qui fournira à la science occidentale ses principales justifications, considérant que l'homme participe de la transcendance divine par rapport au monde, et que ce qu'il entreprend vis-à-vis

---

1. C'est moi qui souligne.

de ce dernier en termes d'action ou de connaissance est donc foncièrement légitime. Les textes chrétiens serviront ainsi d'appui, dans une certaine mesure, à la volonté d'un Bacon ou d'un Descartes, de percer les mystères du monde créé et à ce que l'on peut considérer – en suivant Max Weber –, comme une entreprise de « désenchantement » de la nature.

La Nouvelle Atlantide du philosophe Francis Bacon [1], publiée en 1627, qui raconte l'histoire de marins naufragés, accueillis sur une île inconnue du reste du monde où règnent des savants, témoigne au plus haut point de cette confiance dans l'esprit humain qui s'alimente de l'extorsion de ses secrets à la nature. Bacon met dans la bouche du père de la Maison de Salomon – le lieu consacré à l'étude des œuvres et des créations de Dieu, et institué en vue de permettre de découvrir la nature de toute chose – une phrase que nous considérons aujourd'hui comme la meilleure expression de l'enthousiasme scientifique et technique de l'époque moderne : « Notre fondation a pour fin de connaître les causes et le mouvement secret des choses ; et de reculer les bornes de l'empire humain en vue de réaliser toutes les choses possibles. » Un de ses autres manuscrits, également inachevé *(Les Merveilles naturelles)* laisse entrapercevoir ce que les techniques apporteront aux hommes : « Une jeunesse presque éternelle, la guérison de maladies réputées incurables, l'amélioration des capacités cérébrales, fabriquer de nouvelles espèces animales et produire de nouveaux aliments, etc. » Dominique Bourg a interprété cette croyance orgueilleuse de Bacon dans le pouvoir de l'homme à améliorer

---

1. Francis Bacon, *La Nouvelle Atlantide,* Paris, Flammarion, GF, 1995.

continûment ses conditions de vie comme l'expression de ce qui était considéré à l'époque comme une hérésie, le pélagianisme. Bacon aurait pensé possible et imminente la restauration de la science et de la puissance adamiques, la restauration de la royauté initiale d'Adam sur la nature. La science humaine serait capable de permettre la reconstitution d'Eden.

En totale opposition avec les représentations grecques – qu'il s'agisse de la nature, mouvante, de la science, ne portant que sur les essences immuables, ou de la technique, appartenant au domaine de la contingence – et les représentations congruentes avec le « blocage de la pensée technique » des Grecs[1], le christianisme se trouverait au contraire à l'origine de l'idée de progrès (avec une flèche du temps orientée vers la parousie, le retour glorieux du Christ à la fin des temps bibliques), et il aurait constitué le cadre intellectuel propice au développement (et plus tard à la fusion) des sciences et des techniques et au désenchantement de la Nature. Il légitimerait ainsi le mépris dans lequel sera peu à peu tenue la nature à l'époque moderne, et sa transformation radicale en une étendue réductible au calcul.

Ainsi Galilée pourra-t-il écrire en 1623 : « La philosophie est écrite dans cet immense livre qui continuellement reste ouvert devant les yeux (ce livre qui

---

1. Comme l'explique Jean-Pierre Vernant : « La stagnation technique chez les Grecs va de pair avec l'absence d'une pensée technique véritable. Le démarrage du progrès technique suppose, parallèlement aux transformations dans l'ordre politique, social et économique, l'élaboration de nouvelles structures mentales. » « Remarques sur les formes et les limites de la pensée technique chez les Grecs », *Mythe et pensée chez les Grecs*, tome 2, Maspero, 1965, La Découverte poche, 1996.

est l'Univers), mais on ne peut le comprendre si, d'abord, on ne s'exerce pas à en connaître la langue et les caractères dans lesquels il est écrit. Il est écrit dans une langue mathématique, et les caractères en sont les triangles, les cercles, et d'autres figures géométriques, sans lesquelles il est impossible humainement d'en saisir le moindre mot ; sans ces moyens, on risque de s'égarer dans un labyrinthe obscur. » Dix ans plus tard, dans le *Traité du monde et de la lumière,* Descartes mènera à son terme le désenchantement : « Par la Nature, je n'entends point ici quelque Déesse, ou quelque autre sorte de puissance imaginaire ; mais que je me sers de ce mot pour signifier la Matière même. »

CHAPITRE 4

À quoi sert la production : où l'on découvre qu'elle remplit d'autres fonctions que la seule satisfaction des besoins

Le XVIIIe siècle est le théâtre de ce qu'Albert Hirschman a décrit dans *Les Passions et les Intérêts* comme un « bouleversement stupéfiant de l'ordre idéologique et moral[1] ». Le dernier quart du siècle voit débuter la « révolution industrielle » au Royaume-Uni et s'ouvrir pour les nations occidentales une ère radicalement nouvelle de croissance économique. Au même moment, en 1776, Adam Smith, philosophe et économiste, décrit dans *Recherches sur la nature et les causes de la richesse des nations*[2] les traits de cette nouvelle société : les individus sont tous arc-boutés vers la recherche de l'abondance, et la division du travail permet une efficacité maximale, dont la « puissance productive du travail » constitue le cœur. Une société « bonne » est une société qui permet au plus grand nombre de participer à la production et d'amener sur le marché la plus grande quantité possible de produits

---

1. Albert O. Hirschman, *Les Passions et les Intérêts. Justifications politiques du capitalisme avant son apogée*, Paris, PUF, 1980.
2. Adam Smith, *Recherches sur la nature et les causes de la richesse des nations*, Paris, GF-Flammarion, 1999.

de manière à ce que « l'opulence se répande jusqu'aux dernières classes du peuple ». La focalisation sur la production, qui est en train de devenir un acte social majeur, constituera dès lors une des caractéristiques des sociétés occidentales modernes.

À quoi sert la production ? La question peut paraître absurde. Elle sert évidemment à satisfaire les besoins humains, à améliorer les conditions de vie, à se nourrir, se vêtir, se loger… Mais elle remplit bien d'autres fonctions. Témoin, le très beau texte de Smith qui termine le livre I du chapitre premier des *Recherches sur la nature et les causes de la richesse des Nations*. Il y est question du nombre de personnes qui sont intervenues dans la confection de la veste de laine d'un simple journalier. Smith y consacre une très longue phrase dont les circonvolutions reproduisent celles du périple qu'a suivi la pièce de tissu, de la récolte du coton à l'usager final, et lors de son passage entre toutes les mains qui ont contribué à sa confection et à son transport. Pour exister, ce vêtement a nécessité le concours de centaines de personnes, qui ont, sans le savoir ou sans le vouloir, coopéré pour fabriquer ce produit. Dès lors, le résultat final de la production n'est pas seulement le vêtement, le produit qui vient satisfaire un besoin individuel. C'est également la coopération elle-même, la manière dont les individus ont été tenus ensemble, les liens dans lesquels ils ont été engagés et dans lesquels ils sont enserrés puisque la satisfaction de leurs besoins ne dépend plus seulement d'eux-mêmes, mais de beaucoup d'autres. C'est le lien social qui tient ces individus tous ensemble.

Et si la promotion de la production par Smith ne s'expliquait pas seulement par le souhait d'améliorer les conditions de vie de ses concitoyens, mais par le souci de résoudre la question de la stabilité de l'ordre social ? Si Smith, économiste, mais avant tout moraliste, recommandait que les individus intensifient sans relâche l'échange monétaire de biens et s'il prenait comme critère de progrès le nombre d'opérations, d'êtres humains et d'échanges concrets nécessaires pour confectionner un produit *parce que* la production constitue la résolution de la question qui hante le siècle : celle de la fondation et du maintien du lien social ?

L'époque à laquelle écrit Smith est confrontée aux conséquences d'une triple révolution. D'abord, la remise en cause du géocentrisme : il faut accepter que la Terre n'est pas le centre de l'Univers mais qu'elle tourne autour du Soleil. Ensuite, l'effondrement de l'*universitas* : l'ordre social n'est pas un ordre naturel et la communauté sociale n'est plus une communauté naturelle, hiérarchisée, dont l'unité est organique et où chacun trouve sa place. Enfin, l'émergence de l'individu. C'est aussi l'époque où les hommes découvrent, derrière les fictions du contrat social, que la société est le produit de leur volonté, que le vivre ensemble est le résultat d'une convention et d'un artifice humains, qu'il leur revient d'inventer un ordre aussi solide que l'ordre naturel. Il n'y a donc pas de tâche plus urgente que de trouver le principe susceptible de garantir que la société ne va pas à tout instant se désintégrer en ses composants premiers (les individus), que l'ordre social inventé par les humains infiniment instable, soumis à l'arbitraire, peut être stabilisé et qu'il est possible d'en inventer la règle. Comment contraindre des individus à s'accorder et à régler pacifiquement leurs échanges, sans retomber perpétuellement dans la guerre de tous contre tous et le despotisme décrits par Hobbes ?

Comment mettre en place et organiser le maintien d'un ordre artificiel, humain, aussi solide que l'ordre naturel sur lequel s'appuyaient auparavant les communautés humaines ? Comment ordonner la multiplicité des individus ?

Deux « solutions » sont en lice à l'époque : la solution « antique », notamment portée par Rousseau, qui voit dans la délibération collective de l'assemblée des citoyens et dans le lien politique la source de l'ordre social, un ordre parlé et négocié, un ordre perpétuellement fabriqué à mesure que les hommes déterminent leurs conditions de vie communes, un ordre inventé à chaque instant par la communauté politique assemblée. Et la solution « moderne », méfiante quant à la capacité des hommes de s'accorder par la parole politique, hantée par le possible débordement de violence d'individus incapables de s'entendre, voyant dans la promotion d'un ordre autorégulé le meilleur moyen de les contraindre à la vie sociale sans qu'ils aient besoin de s'aimer, ni de se parler d'autre chose que des objets à produire et échanger. Si tous les hommes sont tendus vers la recherche de l'abondance et la tâche de produire, si leur contribution à la production et la rétribution qu'ils en retirent peuvent être exactement mesurées par le travail, si plus ils produisent et échangent des biens, plus ils sont dépendants les uns des autres, alors la production est la source du lien social[1]. Ce dernier sera d'autant plus intense que les échanges seront denses, c'est-à-dire les partenaires nombreux, la

---

1. On comparera cette idée à celle, en tous points opposée, développée par Rousseau dans la première version du *Contrat social* sous le titre « Fausses notions du lien social » : « Il y a mille manières de rassembler les hommes. Il n'y en a qu'une de les unir. »

division du travail entre les corps de métiers approfondie, les individus unis et tenus ensemble comme les membres d'un même corps.

La production n'entraîne pas seulement l'amélioration des conditions matérielles et le renforcement du lien social, elle est aussi à l'origine du processus d'égalisation des conditions et de civilisation : c'est ce que met en évidence le tout dernier passage du chapitre premier, où Smith compare l'écart de niveau de vie entre un roi d'Afrique et ses sujets à celui qui existe entre un prince et un paysan : « Entre le mobilier d'un prince d'Europe et celui d'un paysan laborieux et rangé il n'y a peut-être pas autant de différence qu'entre les meubles de ce dernier et ceux de tel roi d'Afrique qui règne sur dix mille sauvages nus et qui dispose en maître absolu de leur liberté et de leur vie. » L'augmentation de la production constitue pour Smith un gage d'amélioration des conditions de vie, mais aussi (surtout ?) de démocratisation et d'égalisation des modes de vie[1]. L'individu le plus simple d'une nation civilisée et productive (civilisée *parce que* productive) vit d'une manière très comparable à celle de ses compatriotes les plus riches. Et il n'a plus rien à voir avec l'individu des nations non civilisées et non productives, qui sont restées enfermées dans la tyrannie et la barbarie. Si le commerce adoucit les mœurs, la focalisation sur la production est la garantie du progrès de la civilisation et de la démocratie. Elle est porteuse d'égalité. L'est-elle précisément parce qu'elle évite la discussion infinie sur les conditions du vivre ensemble et détourne les passions des hommes vers les choses ? Smith semble le penser.

---

1. Comme le confirme le *Traité des sentiments moraux*, Paris, PUF, coll. « Quadrige », 1999.

La solution par l'autorégulation a-t-elle prévalu parce que les solutions politiques avaient échoué[1], comme le soutient Pierre Rosanvallon ? Et ces dernières sont-elles nécessairement porteuses de risques despotiques parce qu'elles mettent au centre du jeu social la confrontation directe des hommes entre eux, donc les effets de domination, la tutelle, les rapports hiérarchiques…, comme le suggère Louis Dumont dans *Homo æqualis*[2] ? C'est ce que la relecture de ces trois derniers siècles nous permettra peut-être de nuancer. Quoi qu'il en soit, l'augmentation incessante de la production est devenue la *condition sine qua non* du maintien de l'ordre social, un ordre social qui ne nécessite pas la parole pour subsister, qui au contraire permet de faire l'économie de celle-ci, car elle est trop dangereuse, toujours susceptible de conduire au conflit, à la violence et au désordre. L'économie politique, notamment celle que propose Smith, apparaît donc à ce moment-là de l'histoire porteuse d'un principe de légitimation de l'ordre autorégulé, et c'est une science encore considérablement préoccupée d'éthique. Elle apporte des réponses aux principales questions politiques de l'époque, ainsi que des cadres d'organisation susceptibles de permettre aux individus de vivre ensemble de façon pacifique et selon un ordre réglé.

Sur cette question, la sociologie s'inscrira – contrairement aux apparences – dans le droit fil de l'économie

---

1. « Le marché se présente à la fin du XVIIIᵉ siècle comme la réponse globale aux questions que les théories du pacte social ne pouvaient pas résoudre de façon totalement satisfaisante et opératoire. » Pierre Rosanvallon, *Le Capitalisme utopique. Critique de l'idéologie économique*, Paris, Seuil, 1979.

2. Louis Dumont, *Homo æqualis, genèse et épanouissement de l'idéologie économique*, Paris, Gallimard, 1977.

politique. Auguste Comte, puis Émile Durkheim, voient en effet à l'œuvre dans la division du travail et la production une véritable fonction morale. Si Durkheim, hanté par le risque de « décohésion sociale », se moque de la conception de l'échange des économistes (des individus isolés se présenteraient sur un marché pour échanger des biens sans qu'aucune règle préalable n'ait été définie !), le type de solidarité qu'il décrit dans *De la division du travail social*[1] ressemble pourtant furieusement à celle que décrivait Smith. En effet, qu'est-ce qui unit de façon si forte les individus des sociétés modernes ? Comme chez Smith, c'est le travail et la participation à la production, et plus particulièrement la coopération dans le travail et l'intégration à laquelle conduit sa division : « C'est la division du travail qui, de plus en plus, remplit le rôle que remplissait autrefois la conscience commune ; c'est principalement elle qui fait tenir ensemble les agrégats sociaux des types supérieurs. » Chacun dépend d'autant plus étroitement de la société que le travail est plus divisé et l'activité de chacun est d'autant plus personnelle qu'elle est plus spécialisée.

D'où vient la densité du lien social ? D'abord du contact étroit qui unit les membres d'une société : « Si [la société] comprend plus d'individus en même temps qu'ils sont plus intimement en contact, l'effet sera nécessairement renforcé. » Mais aussi de leur plus grande spécialisation : « Les sociétés sont généralement d'autant plus volumineuses qu'elles sont plus avancées et, par conséquent, que le travail y est plus divisé. » L'intensité de la lutte pour la vie qui développe l'intelligence et la

---

1. Émile Durkheim, *De la division du travail social*, Paris, PUF, 1930.

sensibilité y contribue également. De même que la capacité de chacun à comprendre la manière dont il participe à l'œuvre commune : « La division du travail suppose que le travailleur, bien loin de rester courbé sur sa tâche, ne perd pas de vue ses collaborateurs, agit sur eux et reçoit leur action. Ce n'est donc pas une machine qui répète des mouvements dont il n'aperçoit pas la direction, mais il sait qu'ils tendent quelque part, vers un but qu'il conçoit plus ou moins distinctement. Il sent qu'il sert à quelque chose. »

Alors qu'Auguste Comte pensait que la division du travail pouvait avoir des conséquences tout à fait négatives, Durkheim considère qu'elle ne conduit que dans de rares cas à la désintégration sociale. C'est seulement dans des circonstances exceptionnelles et anormales que la division du travail prend des formes pathologiques et aboutit à ce que l'homme soit traité comme une machine. Pour l'éviter, précise Durkheim, il n'est pas nécessaire que le travailleur embrasse de bien vastes portions de l'horizon social : « Il suffit qu'il en aperçoive assez pour comprendre que ses actions ont une fin en dehors d'elles-mêmes. » Dès lors, « Voilà ce qui fait la valeur morale de la division du travail. C'est que, par elle, l'individu reprend conscience de son état de dépendance vis-à-vis de la société ; c'est d'elle que viennent les forces qui le retiennent et le contiennent. En un mot, puisque la division du travail devient la source éminente de la solidarité sociale, elle devient du même coup la base de l'ordre moral. »

La production assure donc une fonction qui ne se limite pas à la satisfaction des besoins : elle permet aussi de tenir ensemble des individus qui ont inventé des règles rendant l'ordre social (humain, trop humain…) aussi solide que l'ordre naturel antérieur. Ce n'est plus la nature qui, de l'extérieur ou à l'intérieur de l'être humain, constitue un modèle, un repère ou un guide. Si l'homme est la mesure de toutes choses, c'est également vrai en matière sociale. La production est devenue le cœur de la fabrique du lien social.

En passant par le filtre de la philosophie idéaliste allemande, au siècle suivant, elle va de surcroît être conçue comme l'une des manières les plus hautes pour l'homme de s'exprimer. Le philosophe allemand Hegel décrit toute l'histoire humaine comme la succession des manières diversifiées dont l'homme, véritable « puissance du négatif », détruit la nature pour y substituer de l'humain [1]. La vocation de l'homme est de transformer le monde, de le (re)faire à son image, de faire advenir la spiritualité qui gît toujours déjà au fond de la nature, par le biais du travail et de la production. Remettant Hegel sur ses pieds, Marx écrit au milieu du XIXᵉ siècle que « l'histoire dite universelle n'est rien d'autre que la génération de l'homme par le travail humain, rien d'autre que le devenir de la nature pour l'homme ». Créer de l'artifice, spiritualiser le donné naturel, mettre le monde sous la forme de l'usage, telle est désormais la tâche assignée à l'homme. Pour Marx, plus encore que pour Hegel (qui considérait que l'art, l'invention d'institutions politiques, la philosophie, les sciences constituaient des manières de mettre le monde en valeur mais non de la « production »), la plus haute activité humaine consiste à rendre utilisable, à transformer, à produire.

À la fin du XIXᵉ siècle, qu'il s'agisse de Durkheim ou des économistes, la messe est dite : la production

---

1. Notamment dans *La Phénoménologie de l'esprit*, écrite en 1807. Voir Friedrich Hegel, *Phénoménologie de l'esprit*, Paris, Aubier, coll. « Bibliothèque philosophique », 1998.

et la consommation ne sont pas seulement des manières de satisfaire les besoins naturels. Elles remplissent une fonction de cohésion sociale et sont une des modalités les plus déterminantes du processus de civilisation. La distance est-elle si grande entre un Durkheim assurant que « si notre intelligence et notre sensibilité se développent et s'aiguisent, c'est que nous les exerçons davantage ; et si nous les exerçons plus, c'est que nous y sommes contraints par la violence plus grande de la lutte que nous avons à soutenir » et un Jean-Baptiste Say déclarant que « l'expérience nous apprend [...] que le bonheur de l'homme est attaché au développement de ses facultés ; or son existence est d'autant plus complète, ses facultés s'exercent d'autant plus qu'il consomme davantage. On ne fait plus attention qu'en cherchant à borner nos désirs, on rapproche involontairement l'homme de la brute[1] » ?

1. Jean-Baptiste Say, *Cours complet*, 1840, Paris, Guillaumin, livre I, p. 54.

CHAPITRE 5

Une croissance sans modération :
où l'on se demande pourquoi nous avons
perdu tout sens des limites

Nous disposons aujourd'hui de nombreuses connaissances sur l'évolution de la croissance, ses débuts et ses étapes, en particulier grâce à l'économiste britannique Angus Maddison, qui a établi des séries très détaillées de l'évolution de la production depuis le début du XIXᵉ siècle. L'ensemble des travaux existants convergent pour estimer que l'étape de « décollage » qui caractérise le début du processus de croissance a commencé dans les vingt dernières années du XVIIIᵉ siècle au Royaume-Uni, entre 1830 et 1860 aux États-Unis et en France, un peu plus tard en Allemagne. Si Keynes considère que l'origine de tout ce processus date de l'accumulation de capital provoquée au XIVᵉ siècle par l'augmentation des profits consécutive à l'arrivée en Europe de l'or et de l'argent du Nouveau Monde, on sait que de nombreuses causes autres ont été évoquées, parmi lesquelles une nouvelle conception de la science, le progrès technique, l'accumulation du capital, la croissance démographique, le rôle de l'entrepreneur, la création de droits de propriété protecteurs... La croissance a elle-même eu pour conséquence d'améliorer ces mêmes facteurs (population de plus en plus éduquée et en meilleure santé, progrès techniques entraînant de nouvelles améliorations incorporées dans le capital productif au point que la qualité du « capital humain » est désormais considérée comme un des facteurs essentiels de croissance dans les théories dites de la croissance endogène [1]), alimentant de ce fait un processus dynamique et d'une certaine manière exponentiel.

Les travaux d'Angus Maddison mettent aussi en évidence des rythmes de croissance très différents pour les périodes considérées : de 0,53% entre 1820 et 1870, le taux de croissance annuel de la production mondiale passe à 2,11% entre 1870 et 1913. Mais c'est la période 1950-1973 qui est la plus frappante, le taux de croissance annuel étant cette fois de 4,9%. En 1930, dans *Economics Possibilities for our Grandchildren* [2], traduit sous le titre « Lettre à mes petits-enfants », Keynes indique que depuis le début des temps modernes, le niveau de vie en Europe et aux États-Unis a été amélioré de 400%. Il rappelle que « si le capital augmente de 2% par an, l'équipement du monde [...] sera sept fois et demie plus important au bout de cent ans ». C'est ce que certains économistes appellent *la taille de l'économie*, insistant sur le caractère exponentiel de la croissance.

Jusqu'aux années 1970, cette croissance de la production a été uniment considérée comme bonne. C'est de cette époque en revanche que datent les premières

---

1. Alors que les théories antérieures voyaient dans le progrès technologique un élément explicatif majeur de la croissance, lui-même non expliqué, la théorie de la croissance endogène met en évidence les ressorts du progrès technologique, notamment le rôle de la qualité du « capital humain », des connaissances, de l'innovation, de la recherche-développement…

2. John Maynard Keynes, *Essays in Persuasion*, New York, W.W. Norton & Company, 1963.

véritables critiques contre les dangers de la croissance elle-même et de ses modalités. Certes, les conséquences du rythme d'augmentation de la production, notamment les effets sur les conditions de travail et de vie des ouvriers, avaient été dénoncées à de multiples reprises au cours du XIXᵉ siècle. Mais peu de travaux ont été consacrés à la remise en cause de la focalisation sur la production ou sur le rythme de production lui-même, sauf peut-être par John Stuart Mill qui écrivait en 1848 dans ses *Principes d'économie politique* : « Que l'énergie de l'humanité soit appliquée à la conquête des richesses, comme elle était appliquée autrefois aux conquêtes de la guerre, en attendant que des esprits plus élevés donnent aux autres une éducation plus élevée, cela vaut mieux que si l'activité humaine se rouillait en quelque sorte et restait stagnante. Tant que les esprits sont grossiers, il leur faut des stimulants grossiers : qu'ils les aient donc. Cependant, ceux qui ne considèrent pas cette jeunesse du progrès humain comme un type définitif seront excusables peut-être de rester indifférents à une espèce de progrès économique dont se félicitent les politiques vulgaires : *au progrès de la production et de la somme des capitaux* […]. Je ne vois pas pourquoi il y aurait lieu de se féliciter de ce que des individus déjà plus riches qu'il n'est besoin doublent la faculté de consommer des choses qui ne leur procurent que peu ou point de plaisir, autrement que comme signe de richesse […]. C'est seulement dans les pays arriérés que l'accroissement de la production a encore quelque importance : dans ceux qui sont plus avancés, on a bien plus besoin d'une *distribution meilleure*[1] ».

---

1. John Stuart Mill, *Principes d'économie politique*, Paris, Guillaumin, 1873, tome II, livre IV, chapitre VI. C'est nous qui soulignons.

Ce texte nous permet de comprendre dans quel sens il est possible d'affirmer que la croissance économique des pays occidentaux depuis deux siècles présente un caractère « excessif », non raisonné, non tempéré, non contrôlé. Depuis son origine, elle a été considérée comme exclusivement et uniment du côté du bien, et sa maximisation a été dès le début adoptée comme un objectif central des sociétés qui l'ont connue. Aurait-on pu modérer la croissance économique ? Était-il possible de contrôler son rythme, son développement, ses formes, son contenu, ses qualités, ses conséquences ? C'est ce que suggère le texte de Mill : l'augmentation de la production est certes une bonne chose, mais les formes qu'elle revêt sont essentielles et d'autres objectifs sociaux sont tout aussi importants. Si telle avait été notre conviction, qui sait si nous n'aurions pas été capables, collectivement, d'éviter une croissance brute coûteuse, inefficace, et finalement contre-productive. Et si nous n'aurions pas pu distribuer le surcroît de puissance obtenu entre des progrès dans les produits mais aussi des progrès dans les modes de vie, comme le suggère Bertrand de Jouvenel dans ce texte extraordinaire qui date de 1958 et s'intitule platement *Organisation du travail et aménagement de l'existence* : « Étant donné le croît de puissance dont nous avons disposé, l'existence des hommes a été moins améliorée que ne l'aurait imaginé un homme d'autrefois à qui on aurait annoncé ce croît [...] Il s'attendait à ce que la richesse de la civilisation fût annoncée par la beauté des villes et le langage des citoyens [...] à ce que notre civilisation, incomparablement plus riche que les précédentes, les éclipsât par les beautés de ses édifices à usage collectif et y joignît la grâce des logements familiaux harmonieusement mariés avec les bâtiments [...] On n'a point vu s'accentuer la participation active de l'homme commun d'aujourd'hui à la vie intellectuelle, artistique, civique. »

Comment déterminer ce qui a transformé la source d'une considérable amélioration des conditions de vie de l'humanité en un processus fou et incontrôlé qui est en train de saper les bases mêmes qui ont permis sa naissance ? Autrement dit, pourquoi n'avons-nous pas été capables de canaliser cette fantastique puissance pour réguler son rythme, encadrer ses évolutions dans des règles, tempérer ses ardeurs et finalement la mettre de manière durable à notre service ? Formulons la question de manière encore différente : comment s'explique le caractère insatiable de notre attachement à l'augmentation de la production, d'où vient cette pathologie de l'illimité ?

Une partie des réponses contemporaines s'intéressent au statut de la consommation dans nos sociétés. Si notre attachement à l'augmentation de la production est si fort, si nous n'en n'avons jamais assez, ce serait, expliquent les économistes, parce que les besoins humains sont infinis[1] ou, selon les théories plus récentes et de façon plus raffinée, parce que les comportements des individus seraient mus par la comparaison. Dans le sillage des travaux de Richard Easterlin[2] et de Richard Layard[3], de nombreuses publications relevant de l'économie du bien-être mettent en évidence que la satisfaction d'un individu

---

1. Voir ce qu'en dit Jean Fourastié dans *Pourquoi nous travaillons ?*, Paris, PUF, coll. « Que sais-je ? », 1964.

2. Richard Easterlin a mis en évidence en 1974 un paradoxe : une hausse du PIB ne se traduit pas nécessairement par une hausse du bien-être. Seuls les membres de la société qui connaissent une augmentation de leurs revenus plus rapide que celle des autres voient leur satisfaction augmenter.

3. Voir sa synthèse : Richard Layard, *Le Prix du bonheur. Leçons d'une science nouvelle,* Paris, Armand Colin, 2007.

dépend de l'évolution de son revenu relatif, c'est-à-dire du rapport entre la progression de son revenu et celle des autres. C'est donc notre appétit de distinction, notre souci d'avoir toujours plus – et plus que les autres – qui nourrirait le feu de la consommation, donc de la production et c'est notre volonté incessante de comparer notre situation à celle des autres qui se trouverait à l'origine de ce dérapage incontrôlé et de cette illimitation.

Bien avant Easterlin et Layard, le sociologue Jean Baudrillard[1] avait mis cette logique en évidence, soulignant dès les années 1970 combien la consommation était devenue, bien plus qu'une façon de satisfaire des besoins, un véritable langage, un processus permettant la différenciation et donc par construction un processus indéfini. Baudrillard fait d'ailleurs partie, avec Bertrand de Jouvenel, Ivan Illich et d'autres auteurs, des contempteurs de l'intérêt exclusif de nos sociétés pour la production, dont il a dénoncé, comme eux, les coûts sociaux et environnementaux. La transformation de la consommation en un système de signes pose, de fait, un immense problème puisqu'elle ouvre la porte au mauvais infini, comme l'avait mis en évidence le sociologue Thorstein Veblen[2] – avec sa théorie de la consommation ostentatoire –, mais bien avant lui et de manière au moins aussi convaincante Adam Smith, dans un très beau et très complexe chapitre de la *Théorie des sentiments moraux*[3], censé répondre à la question

---

1. Jean Baudrillard, *La Société de consommation*, Paris, Gallimard, coll. « Folio-Essais », 1996.
2. Thorstein Veblen, *Théorie de la classe de loisirs*, Paris, Gallimard, coll. « Tel », 1979.
3. « De la beauté que l'apparence de l'utilité confère à toutes les productions de l'art, et de l'influence étendue de cette sorte de beauté », *Traité des sentiments moraux, op. cit.*, IV, 1, p. 257-258.

suivante : « À quelles fins l'avarice et l'ambition, la quête de la prospérité, du pouvoir et de la prééminence ? Est-ce pour subvenir aux besoins que la nature nous impose ? Le salaire du dernier des travailleurs peut y pourvoir. »

Smith y dévoile le mécanisme qui selon lui « suscite et entretient le mouvement perpétuel de l'industrie du genre humain » : la nature nous abuse en nous donnant l'illusion que les plaisirs de la richesse et de la grandeur sont désirables et en satisfaisant ainsi notre amour de la distinction : « C'est la vanité, non le bien-être qui nous intéresse [...] Le riche se fait gloire de ses richesses parce qu'il sent qu'elles attirent naturellement sur lui l'attention du monde. » Certes, comme l'a montré Jean-Pierre Dupuy[1], la recherche de la distinction ne suffit pas à caractériser cette dynamique, qui doit être combinée avec la sympathie dont les êtres humains sont dotés et qui permet de contenir l'envie. Plus encore que la distinction ou la sympathie, c'est l'imagination qui alimente l'inextinguible désir de chacun de posséder ces moyens qui semblent apporter aux grands tant de bien-être, et c'est une fois encore la main invisible qui permet de comprendre à quoi sert finalement l'ensemble du processus : « Ils [les riches] sont conduits par une main invisible à accomplir presque la même distribution des nécessités de la vie que celle qui aurait eu lieu si la Terre avait été divisée en portions égales entre tous ses habitants ; et ainsi sans le vouloir, ils servent les intérêts de la société et donnent des moyens à la multiplication de l'espèce. »

---

1. Jean-Pierre Dupuy, *Le Sacrifice et l'Envie. Le libéralisme aux prises avec la justice sociale*, Paris, Calmann-Lévy, 1992.

Cette explication ne suffit pas à expliquer le caractère excessif et illimité de la croissance et de la focalisation sur la production. Car il faut encore que la satisfaction de ces désirs individuels illimités puisse être considérée comme un objectif collectif légitime et que les dispositifs organisant celle-ci à grande échelle soient mis en place. C'est ce processus dont Max Weber a décrit l'instauration sous le terme d'esprit du capitalisme[1]. Rappelons que le sociologue voit dans « l'idée que le devoir de chacun est d'augmenter son capital, ceci étant supposé une fin en soi », le signe majeur du retournement qui s'est opéré au XVIIIe siècle. Un tel état d'esprit aurait en effet « été tout bonnement proscrit dans l'Antiquité aussi bien qu'au Moyen Âge en tant qu'attitude sans dignité et manifestation d'une avarice sordide ».

À l'interdit qui pesait depuis Aristote sur la chrématistique[2] et plus généralement sur l'échange visant à autre chose qu'à la subsistance et à l'autonomie de la communauté, mais aussi sur le prêt à intérêt et sur le commerce, s'est substituée, pour des raisons que Weber explore, non seulement une éthique individuelle qui met l'ardeur et la rigueur dans la capacité à augmenter son capital au premier plan, mais également une éthique collective qui fait de l'accroissement de la production une priorité nationale. La double légitimation de l'enrichissement comme objectif individuel et collectif qui s'est opérée au XVIIIe siècle s'est accompagnée de la mise en place de dispositifs et de règles

---

1. Max Weber, *L'Éthique protestante et l'Esprit du capitalisme*, Paris, Plon, 1964.
2. L'échange est réalisé dans le seul but d'accumuler de la monnaie.

permettant d'inscrire de nouvelles institutions, de nouveaux comportements et de nouvelles routines au cœur même du fonctionnement social : la séparation de l'entreprise et du ménage, le travail libre, la comptabilité rationnelle en sont autant d'éléments constitutifs. Ils permettent de détacher l'obsession de la maximisation des motivations des acteurs sociaux qui les ont promus dans un contexte historique donné et de la transformer en processus quasi automatique.

La séparation du ménage et de l'entreprise permet d'augmenter la productivité du travail et, surtout, organise la dépendance des individus au marché en rendant marginale l'autoproduction ; le « travail libre » oblige ceux qui n'ont que leur force de travail à vendre celle-ci à n'importe quel prix pour ne pas mourir et à voir leurs conditions de vie dépendre de leur quantité de travail ; la comptabilité rationnelle permet de trier parmi les opérations celles qui permettent véritablement la réalisation d'un profit et inscrit l'obligation de la maximisation dans les dispositifs qui guident et évaluent les actions quotidiennes de l'entreprise : « Ce qui compte, c'est qu'une estimation du capital soit faite en argent ; peu importe que ce soit par les méthodes de la comptabilité moderne ou de toute autre manière, si primitive et rudimentaire soit-elle. Tout se fait par bilans. Au début de l'entreprise : bilan initial ; avant chaque affaire : estimation du profit probable ; à la fin : bilan définitif visant à établir le montant du profit [...] Il est vrai que le capitalisme est identique à la recherche du profit, d'un profit toujours renouvelé, dans une entreprise continue, rationnelle et capitaliste – il est recherche de la rentabilité. »

La recherche de la rentabilité maximale caractéristique du capitalisme, dont Marx a décrit les effets sur la terre et les travailleurs, ou la logique du marché autorégulateur dont Karl Polanyi a décrit le triomphe au cours du XIXe siècle [1], qui mettent toutes deux au centre du processus de maximisation l'intérêt des propriétaires privés des moyens de production, sont-ils les seuls facteurs expliquant la fixation sur la production ? Ils en constituent très certainement l'un des principaux moteurs, même si le développement d'un modèle de production opposé en tout point au capitalisme a montré qu'il y en avait d'autres, comme André Gorz l'avait parfaitement mis en évidence dès 1980 dans les *Adieux au prolétariat* [2] : la recherche de la production la plus élevée possible peut être dirigée aussi bien par les prix que par le plan, et caractériser des types de régime politique radicalement différents. Elle n'est pas une spécificité du capitalisme. C'est aussi ce que Jouvenel soutient lorsqu'il indique que, selon lui, ce n'est pas la recherche de profit ou d'efficacité qui explique le développement sans précédent de la civilisation industrielle, mais la recherche de la puissance.

La capacité à exhiber la production la plus élevée possible semble avoir été considérée de façon quasi universelle au cours du XIXe siècle, puis plus clairement encore au cours du XXe, comme le critère majeur de performance des États, les conflits ne portant plus que sur les modalités de redistribution des revenus issus de cette production. Jusqu'aux années 1970, peu de voix se sont élevées contre le consensus mondial accordant une place centrale à l'augmentation de la production

---

1. Karl Polanyi, *La Grande Transformation. Aux origines de notre temps,* Paris, Gallimard, 1983.

2. André Gorz, *Adieux au prolétariat. Au-delà du socialisme,* Paris, Galilée, 1980.

comme principal objectif et voyant dans les taux de croissance élevés de la production l'indicateur majeur de réussite des États et plus précisément un des éléments déterminants dans la compétition opposant ces derniers. Cette focalisation s'est accompagnée d'un intérêt exclusif pour les quantités produites, au détriment de la nature sur laquelle ces prélèvements étaient opérés. Une occultation à laquelle les sciences humaines ont largement participé.

CHAPITRE 6

« La société contre nature » : où l'on découvre combien l'économie et la sociologie ont négligé les rapports entre l'homme et la nature

La focalisation sur la production et sur ses heureux effets (augmentation du niveau de vie, consolidation de l'ordre social...) s'est accompagnée d'une véritable occultation de ses effets négatifs sur les humains et sur la nature, et ce alors même que l'homme s'est mué depuis le XIXᵉ siècle en véritable « agent géologique [1] ». Tout se passe comme si les contemporains de la révolution industrielle, tout occupés à fortifier un ordre social construit grâce à leur nouvelle domination sur la nature, avaient fini par oublier celle-ci, comme l'exprime magnifiquement Serge Moscovici lorsqu'il écrit : « La société est une modalité d'oubli de la nature [2]. »

---

1. Comme l'exprime Jacques Grinevald en parlant des travaux de Nicholas Georgescu-Roegen dans la préface à ce dernier, *La Décroissance. Entropie-Écologie-Économie*, Paris, Sang de la Terre, 1979, et comme l'exprimait aussi Georges Perkins Marsh parlant en 1864 des hommes comme d'agents géologiques actifs (voir Franck-Dominique Vivien, *Économie et Écologie*, Paris, La Découverte, coll. « Repères », 1994).

2. Serge Moscovici, *La Société contre nature*, Paris, Union Générale d'Éditions, 1972.

Les sciences sociales de l'époque, économie et socio-logie notamment, ont accompagné ce processus d'invi-sibilisation en redoublant la focalisation objective sur la production par un intérêt quasi exclusif pour les interactions sociales au détriment des rapports entre humains et nature, comme l'indique l'auteur de *La Société contre nature* : « En définitive, par quelque bout qu'on la prenne [...] la société est radicalement une contre nature. Je résume dans cette proposition la quintessence des opinions qui ont été émises et réé-mises maintes fois et qui sont devenues progressive-ment les catégories stables de notre entendement, de notre éducation et de notre action. Les philosophies, les sciences psychologiques, économiques, anthropolo-giques ou naturelles, les ont incorporées à leurs théories et leur ont ajouté des preuves empiriques. Elles ont toutes coopéré afin de métamorphoser une croyance très ancienne en un fait d'observation. À savoir que l'espèce humaine est le terme absolu où s'arrête la nature et son couronnement, la forme supérieure de toute existence présente, passée ou à venir dans l'Univers. »

Au XIXe siècle, l'économie accompagne l'auto-fondation de l'homme, son auto-institution comme fondement de toutes les valeurs, et consacre l'effacement de la nature, ou du moins sa position radicalement subordonnée. L'économie politique du XVIIIe avait légitimé la recherche de la production la plus élevée possible et elle avait fait de la nature le terrain d'exercice du travail humain, voyant dans l'effort déployé par l'homme contre cette nature résistante l'origine de la valeur des biens. L'économie néoclassique, elle, accompagne la promotion de l'auto-fondation de l'homme en fondant la valeur sur le résultat de la compétition des désirs humains pour les biens (la valeur-utilité) et en expulsant la matérialité, la résistance et la finitude de la nature de ses équations. La terre, tellement présente chez les physiocrates (elle seule créait du nouveau, de la valeur) et chez les classiques (elle résistait par des rendements décroissants à l'exploitation continue), a quasiment disparu. Say exclut les « richesses naturelles » de la sphère de l'économie politique « par la raison qu'elles ne peuvent être ni produites, ni distribuées, ni consommées ». Les néoclassiques voient bien dans la terre un facteur de production mais non limitant : la production nécessite une habile combinaison de travail, de terre et de capital, qui sont désormais substituables (on peut remplacer des quantités de l'un par des quantités de l'autre et obtenir la même production). La terre n'est plus un facteur matériel résistant, une force de rappel, une matière qui s'oppose : la finitude a disparu. Il n'y a pas d'extériorité susceptible de subir des modifications : Say précise que les richesses naturelles « ne sont pas consommables, l'usage qu'on en fait ne pouvant en diminuer la quantité ». Les ressources naturelles qui font l'objet d'un échange voient en revanche leur utilisation réglée par le prix. L'économie dominante s'est peu à peu déréalisée, malgré les travaux de Stanley Jevons, des ingénieurs économistes comme Carnot ou encore des premiers économistes écologues [1].

Deux formalisations proposées par les économistes à partir de la fin du XIXe siècle contribuent à cette

---

1. Comme l'a bien montré Franck-Dominique Vivien dans *Économie et Écologie, op. cit.* : « Les premiers ingénieurs économistes sont parfaitement conscients de cette finitude et de l'épuisement inéluctable des ressources énergétiques, déposées, selon le mot de Sadi Carnot, dans le "gigantesque réservoir terrestre". À partir de 1880, continue Vivien, se développent des tentatives de constitution d'une économie écologique, notamment avec Sergueï Podolinsky ou de Patrick Geddes, auxquels l'économie dominante adressera une fin de non-recevoir. »

occultation : la représentation du processus de production par une fonction et la notion d'externalités. Les fonctions de production ont été développées à la fin du XIXe siècle en même temps que les travaux sur les théories de l'équilibre et la productivité marginale. Elles ont pour objet de représenter de façon stylisée, et grâce à une équation, le processus de production au niveau de la firme ou d'un pays. La fonction de production indique ce que la firme peut produire à partir de différentes quantités et combinaisons des facteurs de production que sont le travail et le capital. La plus connue est la fonction de Cobb-Douglas notée : $Q = c . Ka.Lb$ [1]. Dans une telle représentation, non seulement la personne du travailleur (et les conditions concrètes de travail) disparaissent, mais la nature est complètement absente : « La formule ne retient pas le facteur nature dont l'influence est soit négligée, soit confondue avec celle du capital », écrit René Fruit dans la *Revue économique* en 1962 [2]. L'objectif visé par cette représentation est uniquement d'allouer les ressources de la manière la plus efficace et d'organiser la rémunération des « facteurs de production ».

Comme l'explicitera plus tard le mathématicien et économiste hétérodoxe roumain Nicholas Georgescu-Roegen, cette manière de procéder dissocie radicalement l'activité économique du cadre naturel dans lequel elle s'inscrit. Seules les variations de quantité comptent (au détriment des changements de qualité), les contraintes naturelles ont disparu, les phénomènes sont interprétés selon une logique mécaniste, sans que soient prises en

---

1. Q est la quantité produite, K la quantité de capital, L la quantité de travail.

2. René Fruit, « La fonction de production de Cobb-Douglas », *Revue économique*, 1962, volume XIII, n° 2, p. 186-236.

considération les caractéristiques matérielles des réalités ni les flux de matière et d'énergie transformés au cours de l'activité de production. La réalité de la disparition matérielle de certaines ressources non renouvelables (le charbon, les minerais) qui sont consommées au cours du processus de production ou de la dégradation de la qualité de certaines autres (l'eau, l'air, les écosystèmes…) est simplement passée sous silence, rendue invisible dans la représentation mathématique du phénomène. Tout se passe comme si la traduction des phénomènes naturels dans le langage économique et mathématique constituait une vaste entreprise de déréalisation au terme de laquelle une sorte de monde parallèle était édifié. Un monde sans frottement, sans disparition irréversible, sans déperdition, sans effort, sans matière.

La manière dont la science économique a traité les dommages provoqués par la production sur l'environnement témoigne d'un même processus de déréalisation. Fidèles à la philosophie générale qui sous-tend le développement des sciences humaines et sociales au XIXe siècle – privilégier l'étude des interactions entre les hommes sur celles existant entre l'homme et la nature – les premiers économistes à s'intéresser à la question développent une approche en termes d'« externalités ». Celle-ci ne vise pas à imputer une dégradation ou une modification de la nature à un producteur qui en serait responsable. Elle s'intéresse à la diminution de l'utilité d'un autre agent. Ainsi, selon Alfred Marshal[1], y a-t-il effet externe (ou externalité) lorsque le comportement d'un agent économique modifie la situation d'un autre sans que cette modification puisse faire

---

1. Qui présente sa théorie en 1890 dans la première édition de ses *Principes d'économie politique*.

l'objet d'une contrepartie marchande. Quant à l'économiste anglais Arthur Cecil Pigou, il propose dix ans plus tard d'« internaliser les effets externes » grâce à un système de taxation ou de subvention qui permet de compenser le dommage causé par un pollueur et donc la perte d'utilité de celui-ci en indemnisant la victime. C'est dans tous les cas la diminution de l'utilité d'un autre agent qui constitue le signal du dysfonctionnement : un agent qui va donc se plaindre et récriminer. Le projecteur est braqué sur les interactions entre agents et pas sur la dégradation de l'environnement. Mais la nature ne se plaint pas…

Contrairement à la classe ouvrière, qui parviendra au cours du XIXᵉ siècle à trouver le moyen de se faire entendre et de faire savoir que le « facteur travail » est composé d'individus bien réels sur lesquels le processus de production a des effets, la nature, sans voix, ne pouvait pas attirer l'attention sur les destructions à l'œuvre en son sein. Il lui faudra donc attendre que des porte-parole parlent en son nom. Bertrand de Jouvenel l'exprimait ainsi en 1976 dans *La Civilisation de puissance* : « Par essence même, la nature ne peut pas discuter avec ses utilisateurs humains l'usage qui est fait d'elle. Il faut donc des agents humains qui puissent discuter en son nom et en fonction de l'intérêt collectif à long terme des communautés humaines. » Cette déconsidération de la nature, réduite à un ensemble de figures géométriques, écrite en langage mathématique, est le terreau sur lequel les sciences humaines et sociales ont construit des représentations du monde radicalement « tronquées[1] », qui ne pouvaient pas manquer de soutenir et donc d'aggraver les processus réels à l'œuvre.

1. René Passet, *L'Économique et le Vivant*, Paris, Payot, 1979 ; et « Une science tronquée », *Le Monde*, 12 janvier 1971.

Si la science économique de la fin du XIXe siècle est dans l'impossibilité d'élaborer une représentation réaliste des évolutions, c'est parce qu'elle est enfermée dans la théorie des utilités. Selon celle-ci, le seul critère à prendre en compte pour juger d'une action est le degré de satisfaction (ou d'utilité) apporté aux individus par une action ou un produit. Par définition, seul l'homme peut éprouver des satisfactions, évaluer l'utilité que lui apporte un bien ou un service et donner, dès lors, de la valeur aux choses. Si l'homme est le seul fondement de la valeur, si son plaisir (déplaisir), son bonheur ou son bien-être constituent le critère exclusif du jugement qu'il est possible de porter sur une action ou un produit, seules pourront être prises en compte les dégradations diminuant la satisfaction des humains et sous le seul point de vue de ceux-ci. La nature n'étant pas un être humain et n'ayant aucune conscience, elle n'a ni intérêt, ni voix pour faire valoir cet intérêt, elle n'éprouve aucune satisfaction ni aucune souffrance (sauf les animaux qui en font partie) et n'a donc aucune valeur en soi. Elle n'a d'autre valeur que celle que lui attribuent les êtres humains. Et sa dégradation n'intéresse ceux-ci que dans la mesure où elle entraîne une diminution de leur fonction d'utilité.

À la fin du XIXe siècle, la science économique dominante a donc construit, à côté du monde réel que d'autres disciplines comme la physique décrivent en termes de flux d'énergies, de matières et de ressources, un autre monde, celui de l'économie pure. La nature étant réduite à une extension mécanique et s'écrivant en termes mathématiques, cette discipline ne s'est pas mise en mesure de prendre en considération les destructions apportées par l'acte de production à l'environnement ni d'organiser la prévention de celles-ci.

La sociologie naissante, quant à elle, hantée par les risques de désintégration dont la révolution industrielle est porteuse, fait de la cohésion sociale son principal objet. Elle s'efforce de trouver les modalités de réintégration dans la communauté de cette nouvelle classe, chassée des campagnes, entassée dans les villes, obligée de vivre de son travail mais soumise à toutes les interruptions de celui-ci, qu'ont commencé à décrire les rapports officiels comme ceux de Louis-René Villermé[1] ou d'Eugène Buret[2]. Tout se passe comme si les difficultés à intégrer dans la société des individus autonomes et déracinés avaient éclipsé la question de la bonne insertion de l'homme dans la nature, comme si l'ampleur de la question sociale à traiter avait eu une double conséquence : augmenter les pressions sur la nature et faire passer celle-ci au second plan.

On doit à deux spécialistes des rapports entre homme et nature, Catherine et Raphaël Larrère[3], le rappel bienvenu de ce que fut le geste fondateur de la sociologie : l'affirmation de l'irréductibilité du fait social par Durkheim et l'institution d'une frontière infranchissable entre les sciences sociales et les sciences de la nature. Dans un important article publié en 1978, « Sociologie environnementale : un nouveau paradigme », les sociologues américains William R. Catton

---

1. Louis-René Villermé, *Tableau de l'état physique et moral des ouvriers dans les fabriques de coton, de laine et de soie*, Paris, 1840.

2. Eugène Buret, *De la misère des classes laborieuses en Angleterre et en France, avec l'indication des moyens propres à en affranchir les sociétés*, Paris, Paulin, 1840.

3. Catherine Larrère et Raphaël Larrère, *Du bon usage de la nature*, Paris, Aubier, coll. « Alto », 1997 et Raphaël Larrère et Catherine Larrère, « Hypermodernité et sociocentrisme », in Rémi Barbier et al., *Manuel de sociologie de l'environnement*, Presses universitaires de Laval, 2012.

et Riley E. Dunlap avaient eux aussi mis en évidence, derrière la diversité des courants sociologiques, un même postulat commun, anthropocentrique, baptisé « le paradigme de l'exception humaine[1] ». Michelle Dobré rappelle dans le très utile *Manuel de sociologie de l'environnement* publié en 2012 aux Presses universitaires de Laval, que ce texte constitue l'acte de naissance de la sociologie de l'environnement, ce dernier étant « resté pour la sociologie un défi épistémologique[2] ». Et même si plusieurs auteurs, dont récemment John Bellamy Foster[3], ont défendu depuis la thèse que les pères fondateurs de la sociologie, y compris Marx lui-même, s'étaient intéressés à l'insertion des sociétés dans la nature, on peut néanmoins soutenir que, comme l'économie, la sociologie ne s'est véritablement ouverte à la question de l'articulation entre société et nature qu'à partir des années 1970.

De la révolution industrielle aux années 1970, les dommages provoqués par la mise en forme accélérée du monde sur les travailleurs ou sur la nature, « les dégâts du progrès », ont donc bien été systématiquement minorés, voire rendus invisibles par ces deux sciences. Dans ce processus d'occultation, la « science » économique officielle tient une place centrale. C'est elle qui a mis au point des argumentations et des dispositifs de représentation de la réalité où, lorsqu'elles apparaissaient, les

1. William R. Catton et Riley E. Dunlap, « Environmental Sociology : a New Paradigm », *The American Sociologist*, vol. 13, février 1978, p. 4-49.

2. Michelle Dobré, « Introduction générale », in Rémi Barbier et al., *Manuel de sociologie, op. cit.*

3. John Bellamy Foster, *Marx écologiste*, Paris, Éditions Amsterdam, 2011.

dégradations opérées sur la nature ou les humains et liées à l'industrialisation étaient réinterprétées comme les scories inévitables d'un progrès toujours incomparablement supérieur à celles-ci. Dans les équations économiques comme dans les premiers travaux de l'Organisation scientifique du travail, seul le résultat compte. Frederik Taylor le met bien en évidence dans *La Direction scientifique des entreprises*[1] : ce qui compte finalement, ce ne sont ni les profits des capitalistes, ni les salaires des ouvriers, mais les prix auxquels les consommateurs achètent leurs produits. Les consommateurs sont les principaux destinataires des gains d'efficacité que l'ingénieur américain veut décupler : « Les droits du peuple sont plus importants que ceux des employeurs et des salariés. » Il importe d'augmenter de toutes les manières possibles la productivité des ouvriers car c'est d'une habile combinaison de travail et capital que naîtra une production plus abondante. Dans tous les cas, à l'échelle de la firme comme à celle de la Nation, le fait d'amener sur le marché des biens et des services à profusion et à des prix plus bas constitue le symbole de la prospérité et sanctifie d'une certaine manière l'ensemble du processus, quelles qu'en soient les conséquences pour les travailleurs et la nature.

D'une certaine façon, dans un monde encore confronté à la rareté (dont l'économie se veut la spécialiste) et alors que la tâche la plus urgente est d'améliorer les conditions de vie des hommes, les dégâts du progrès non comptabilisés sont, lorsqu'ils sont repérés, passés par pertes et profits. Tout au long du XIXe siècle, la

---

1. Friedrich Taylor, *La Direction scientifique des entreprises*, Paris, Dunod, 1965.

production et la mise en forme de la nature en vue
de l'usage de l'homme sont considérées comme exclusivement du côté du bien. La production est une
manière pour l'homme de façonner le monde à son
image, d'extorquer aux « magasins de la nature » selon
l'expression de Say, des utilités, d'améliorer considérablement les conditions de vie, de permettre à tous
d'accéder à des produits jusque-là inexistants ou inaccessibles. C'est la justification ultime.

CHAPITRE 7

Le PIB, occultation suprême :
où l'on montre comment la comptabilité
nationale néglige les dégâts de la croissance

Au XXe siècle, le produit intérieur brut (PIB) devient l'expression la plus aboutie de la priorité absolue accordée à la production et à la nécessité de son accroissement. Si la taille du revenu national constituait depuis le XVIIe siècle un élément central de la compétition internationale et de l'ostentation, l'élaboration et la mise en œuvre de la comptabilité nationale, au milieu du XXe siècle, confirme de manière éclatante l'assimilation du progrès et de la richesse à la seule croissance de la production. Elle conforte également le processus d'« invisibilisation » des coûts sociaux et environnementaux de celle-ci.

Comme la plupart des dispositifs visant à donner une représentation simplifiée de la réalité, la comptabilité nationale, loin d'être le résultat d'une démarche rationnelle qui conduirait à l'adoption d'une unique solution – LA représentation exacte de la réalité –, est le résultat d'une convention. Autrement dit, les composants et les liens qui les relient (les agrégats et les règles qui décrivent leur formation) peuvent être considérés comme une véritable grammaire, un langage ou encore un système de catégories (semblables aux formes *a priori* de la sensibilité et de l'entendement kantiennes), la grille de lecture à l'aide de laquelle nous interprétons le monde. Les éléments constitutifs de ce langage sont eux-mêmes le résultat de choix et de diverses opérations d'inclusion et d'exclusion, qui sont à leur tour le produit d'une « vision du monde », d'un « esprit du temps », mais aussi de rapports de force et de compromis.

C'est en 1665 que l'économiste anglais William Petty propose une estimation du revenu national de son pays qui semble avoir été suscitée par la rivalité existant entre la France et l'Angleterre. Comme André Vanoli[1] et François Fourquet[2] l'ont montré, il s'agissait de mesurer ce que chaque Nation « pesait » (sa puissance) et quelles étaient les principales sources de richesse permettant d'accroître la position de chacune. Gregory King en Angleterre, Pierre de Boisguilbert, et surtout François Quesnay en France affineront ces représentations en tentant à leur tour, qui de mettre en évidence les « classes stériles » ou au contraire « productives », qui de comprendre sur quels facteurs les impôts peuvent être assis de manière à ce que le plus d'argent possible rentre dans les caisses de l'État. C'est beaucoup plus tard, avec la crise de 1929 et la volonté de mesurer les pertes occasionnées par la Grande Dépression ainsi que les « réserves » susceptibles d'être

---

1. Important spécialiste français de la comptabilité nationale, auteur d'*Une histoire de la comptabilité nationale*, Paris, La Découverte, coll. « Manuels Repères », 2002.

2. Sociologue français qui a consacré un ouvrage à l'invention de la comptabilité nationale : *Les Comptes de la puissance. Histoire politique de la comptabilité nationale et du plan*, Paris, Recherches, coll. « Encres », 1980.

mobilisées par les Nations en cas de conflit ou de reconstruction, et avec l'expansion de la théorie keynésienne, que la voie sera libre pour le développement de ce type de représentation qui deviendra la comptabilité nationale.

Il suppose toute une série de choix parmi lesquels on peut citer : la réduction de la richesse d'une nation à ce qui est produit et donc à un flux ou un surplus, alors qu'il aurait été possible de s'intéresser aux variations de « patrimoine(s) [1] », c'est-à-dire de « stock(s) » ; la seule prise en considération de ce dont l'état a été transformé ; l'enregistrement des opérations sous la seule forme d'une valeur monétaire, alors qu'une autre unité de mesure aurait pu être adoptée... Élaborer ce type de représentation qui permet de calculer l'accroissement de richesse d'une nation d'une année sur l'autre, c'est donc indéniablement opérer des choix de nature technique mais sur fond d'une vision du monde où ce qui est véritablement source de richesse fait l'objet d'un préjugement (préjugé ?).

Dans sa tentative d'estimation du revenu national américain, en 1941, l'économiste américain Simon Kuznets – considéré comme l'inventeur de la comptabilité nationale et à qui le Sénat américain avait confié la tâche d'estimer le revenu national américain dès

---

1. Je reviendrai plus loin sur la difficulté à trouver les mots adéquats pour parler de l'ensemble des réalités humaines et sociales auxquelles nous tenons et que nous souhaitons transmettre aux générations futures. Le terme de capital est depuis longtemps compris dans un sens exclusivement économique. Il est ce qui produit des intérêts ou procure des revenus. Il en va de même du terme de « fonds ». Celui de patrimoine me semble plus neutre : on parle de patrimoine mondial de l'humanité. Mais aucun de ces termes ne convient vraiment...

1932 – décrit par le menu l'ensemble des opérations d'inclusion et d'exclusion auxquelles il faut procéder pour calculer le produit national net et l'ampleur des jugements de valeur que ce calcul requiert[1]. Si le revenu national est la valeur nette de tous les biens économiques produits par la Nation, alors il faut, écrit-il, préciser ce qu'est un bien économique, savoir si cet ensemble se restreint aux seuls biens privés échangés sur le marché ou comprend aussi les biens produits par la puissance publique et par la famille, dire s'il faut compter les ventes de produits illégaux, et décider pourquoi ce sont les prix de marché qui sont utilisés. Retenons que Kuznets, comme souvent les précurseurs, présente de façon extrêmement claire les raisons de ses choix. Il signale qu'ils sont guidés par ses prédécesseurs et ses pairs mais aussi par le « sens commun » ou ce qu'il imagine être l'opinion du « corps social ». Il reste par ailleurs grandement insatisfait du résultat, qui ne lui semble pas susceptible de rendre compte de l'ensemble du bien-être et des sources de satisfaction.

Quant à la comptabilité nationale française, François Fourquet a mis en évidence combien les choix opérés par ses concepteurs reflétaient, sinon leur vision personnelle de ce qui était bon pour la société, du moins le point de vue dominant de l'époque sur ce qui comptait vraiment. Il a montré à quel point ces inventeurs avaient été guidés par une idée *a priori* de ce qui devait permettre le développement de la France, sa reconstruction et la mobilisation de sa puissance. D'où l'accent mis sur le « productif » : « Est productif, écrit Fourquet, ce qui crée de la richesse et la puissance

---

1. Simon Kuznets, « National Income and its Composition », 1919-1938, National Bureau of Economic Research, 1941.

d'une nation en guerre. L'économie d'une nation, c'est cette ressource, cette immense réserve de forces qui est derrière le fer de lance militaire, qui soutient la pointe avancée de la puissance, mais forme le corps réel et profond de cette puissance. L'économie, c'est l'intendance de l'État en guerre. »

Convaincus de la nécessité de lutter contre le malthusianisme français et le déclin, les acteurs de cette histoire décrits par Fourquet témoignent du fait que la comptabilité nationale n'est pas une description neutre de la réalité, mais bien une construction à visée performative[1], destinée à orienter les actions et à produire des effets. La comptabilité nationale française a d'abord été un dispositif d'accompagnement de la démarche de planification, visant tout à la fois à mettre en évidence les secteurs dont la production importait, à soutenir leur développement et à en suivre les évolutions. La comptabilité nationale révèle ainsi son double rôle : organiser l'interprétation collective de la marche de la société, certes, mais également orienter l'action publique et privée, donner une direction à l'ensemble des forces du pays.

Nous avons complètement oublié que la comptabilité nationale, et le principal indicateur qu'elle permet d'élaborer, le PIB, sont issus d'une convention, sont eux-mêmes une convention. Nous considérons au contraire ce dernier comme une représentation objective et intemporelle de ce qui compte et nous l'utilisons comme un bon indice, ou encore, comme disent les économistes et les statisticiens lorsqu'ils utilisent des

---

1. Géraldine Thiry utilise ce terme dans sa thèse intitulée *Au-delà du PIB : un tournant historique. Enjeux méthodologiques, théoriques et épistémologiques de la quantification*, mai 2012.

modèles, une bonne « proxy[1] » de la richesse, du bien-être, du progrès. Dans les journaux spécialisés mais aussi dans la vie courante, nous faisons tous comme si la croissance du PIB, l'augmentation de la production d'une année sur l'autre, signifiait une augmentation du bien-être, du progrès, dans tous les cas, quelque chose de positif. Même si les comptables nationaux ont toujours rappelé que le PIB n'était pas une mesure du bien-être ou du progrès, il n'en reste pas moins qu'il signale aujourd'hui, pour la plupart de ses usagers, la richesse d'une nation. Le taux de croissance du PIB par habitant est désormais utilisé comme la principale mesure de la performance d'un pays.

Et la croissance du PIB est sinon identifiée au progrès, du moins considéré comme une *condition sine qua non* de celui-ci. Notons que cette assimilation a été d'autant plus facile, au cours de la seconde moitié du XXe siècle, que la progression du PIB était corrélée avec celle des principaux indicateurs sociaux, l'état de santé, le niveau d'éducation, l'accès au logement et à un minimum de confort... et que la persistance de forts taux de croissance, outre qu'elle s'est accompagnée d'une augmentation considérable des niveaux de vie, a permis de ne pas trop s'interroger sur la question de la répartition : la croissance a servi de lubrifiant au fonctionnement social.

Aujourd'hui, dans le système harmonisé de comptabilité nationale, le PIB représente la valeur monétaire de la production marchande et non marchande. C'est la somme des valeurs ajoutées du secteur marchand et

---

1. Une proxy est une variable étroitement corrélée à une autre : lorsque l'on ne peut pas observer la variable intéressante, on utilise donc sa proxy.

des coûts de production des services non marchands. Une telle représentation permet de comprendre pourquoi la richesse ainsi définie constitue une découpe sur la réalité, mais surtout pourquoi, par construction, la comptabilité nationale organise l'occultation des dégâts de la croissance. D'une part, un certain nombre d'activités éminemment importantes pour la reproduction de la société ainsi que pour le bien-être individuel et social sont exclues du périmètre concerné. Il s'agit de toutes les activités réalisées pour soi-même ou ses proches et ne se traduisant ni par des productions destinées à l'échange ni même par des productions : « travail domestique », activités bénévoles, loisir, activités citoyennes et politiques... Ne pas prendre en considération leur existence, c'est ignorer les effets potentiellement négatifs d'une augmentation de la production : diminution du temps de loisir ou du temps consacré aux amis et à la famille, dégradation de leur qualité...

Le PIB compte par ailleurs positivement, et en les enregistrant à leur valeur d'échange, toutes les productions, qu'elles soient utiles et inutiles au sens traditionnel du terme. L'économie néoclassique, qui demeure le fondement de la comptabilité nationale, considère en effet qu'un bien ou service est utile dès lors qu'il est approprié par quelqu'un. La comptabilité nationale peut ainsi compter comme un accroissement de richesse une augmentation de biens et services dont l'utilité sociale est douteuse ou inexistante. Le PIB n'est pas non plus affecté par les inégalités dans la participation à la fabrication de la production (on peut avoir le même PIB avec très peu de chômeurs ou avec cinq millions de chômeurs) ni par les inégalités dans la consommation.

Enfin, et surtout, la comptabilité nationale n'enregistre que des flux positifs et, à la différence de la comptabilité d'entreprise, ne possède nul bilan où pourraient s'inscrire, en face des augmentations, des dégradations, des soustractions, du négatif. Par dégradations, nous entendons à la fois les diminutions des stocks de ressources naturelles renouvelables et non renouvelables, les atteintes à la santé provoquées par la production (et dues au travail ou à la pollution), la diminution de qualité de l'air, de l'eau, des sols, des relations sociales, du climat, de la beauté des éléments ou des paysages, de la civilité, de l'aptitude à la paix, toutes choses qui n'ont pas de prix, ne sont pas appropriables par une unité, mais constituent un patrimoine commun. Notre comptabilité nationale ne nous permet pas de suivre les évolutions de ce patrimoine, naturel, social, de santé, dans lequel nous puisons pour réaliser cette somme de valeurs ajoutées qui constitue le PIB.

On le voit, la construction de la comptabilité nationale s'inspire des fondements philosophiques et anthropologiques issus du XVIIIᵉ et du XIXᵉ siècle, même si sa formalisation est concomitante de la diffusion de la pensée de Keynes : la performance d'une société dépend de l'extension de la sphère des échanges et de la capacité à mettre le plus de choses possible sous la forme de l'usage pour l'homme ; les activités qui ne sont pas sanctionnées par un échange monétaire comptent pour rien ; les prélèvements effectués sur la nature ou les dégradations de l'environnement naturel ne sont pas comptabilisés. L'augmentation de la quantité de biens et de services appropriés mesure les progrès de cette société. Toute production est bonne à prendre du moment qu'elle augmente les quantités produites ou les revenus correspondants.

Le PIB est devenu l'indicateur majeur de mesure du progrès de nos sociétés. Chaque jour, les médias rappellent que sans croissance du PIB il ne peut y avoir ni croissance des revenus, ni diminution du chômage. Chaque jour, les sociétés occidentales prient pour le retour de la croissance. Et pourtant, cet indicateur n'est capable de signaler ni les périls auxquels nous sommes confrontés, ni les facteurs de progrès et les ressources qui comptent pour l'inscription de nos sociétés dans la durée. Pis, il nous pousse dans le mur, il nous rend aveugles, il nous trompe. C'est Joseph Stiglitz, économiste à la fois classique et critique, corapporteur de la Commission sur la mesure de la performance et du progrès social réunie en 2008 à l'instigation du président de la République française, qui le reconnaît, précisant : « Ceux qui s'efforcent de guider nos économies et nos sociétés sont dans la même situation que celle de pilotes qui chercheraient à maintenir un cap sans avoir de boussole fiable[1]. » Nous sommes arrivés aujourd'hui au point où nous continuons à vivre avec et à voir notre fonctionnement social complètement structuré par un indicateur qui n'a plus de sens, qui est incapable d'orienter nos actions ou du moins de les orienter dans le « bon » sens, qui semble au contraire inciter l'humanité à se rapprocher de la catastrophe.

Alors que les travaux menés dans les années 1970 – au moment de la dénonciation des « dégâts de la croissance » – avaient suscité beaucoup de critiques et de réticences (qu'il s'agisse de ceux des Meadows, attirant

---

1. Joseph Stiglitz, Amartya Sen, Jean-Paul Fitoussi, *Rapport sur la mesure des performances économiques et du progrès social*, 2009.

l'attention sur l'impossibilité d'une croissance infinie, de ceux de Bertrand de Jouvenel ou des travaux plus appliqués des économistes américains James Tobin et William Nordhaus visant à corriger le PIB), les réflexions menées dans les années 1990 aux États-Unis, en France, et au Canada, semblent au contraire avoir fini par porter leurs fruits puisque aujourd'hui la prise de conscience que le PIB est un indicateur insuffisant – voire pervers – et que la croissance actuelle ne peut se prolonger semble acquise. Mais si le PIB est un mauvais indicateur, si les informations qu'il nous donne sont, comme l'écrit René Passet, tronquées, au point de nous conduire à la catastrophe sans qu'aucun signal d'alerte ne soit envoyé, cela signifie simplement que les catégories avec lesquelles nous interprétons le monde et organisons nos actions ne sont plus adaptées.

CHANGER

CHAPITRE 8

Changer d'indicateurs : où l'on découvre que la critique du PIB conduit à s'interroger sur ce qui compte vraiment pour une société

Si nos indicateurs sont pervers, si la comptabilité nationale n'est plus le langage qui convient à notre époque et encore moins à la mise en évidence des dangers que nous encourons, si la croissance de la production provoque des dégâts sur notre patrimoine naturel et notre cohésion sociale, dégâts que la comptabilité nationale occulte, alors il nous faut d'urgence changer d'indicateurs. C'est-à-dire parvenir à élaborer une nouvelle grille d'interprétation de la réalité, capable de remédier aux lacunes de la précédente et inventer des catégories susceptibles de représenter cette réalité de la manière la plus précise, mais aussi d'encadrer et d'orienter nos actions individuelles et collectives. C'est donc tout sauf une opération anodine. Il ne s'agit pas d'opérer sur notre comptabilité nationale un petit bricolage qui lui permettrait de mieux prendre en compte les externalités, mais de la refonder entièrement pour lui permettre d'intégrer les conséquences des découvertes scientifiques les plus récentes, et notamment celles-ci : nos modes de production sont certes à l'origine de progrès, mais aussi de maux ; les actions humaines sont profondément insérées dans une nature qu'elles contribuent à transformer radicalement.

Les questions suscitées par une telle entreprise sont légion : comment procéder à cette refondation ? Qui a le droit d'y participer ? Qui a la légitimité pour le faire ? Sur quels principes devra-t-elle s'appuyer ? Et plus concrètement : que s'agira-t-il de représenter ? Nous faut-il conserver le paradigme antérieur et améliorer la représentation de la production, la manière dont les êtres humains créent des utilités ? Nous devrions alors conserver les principes de notre comptabilité nationale mais la parfaire en la dotant d'un « bilan » permettant la mesure des dégradations apportées à l'occasion de la production. Devons-nous au contraire nous concentrer sur les interactions entre les êtres humains et la nature pour éclairer la manière dont les différentes actions humaines modifient les équilibres naturels ? Ou bien nous intéresser à la seule nature et, par conséquent, abandonner le langage monétaire pour décrire les seules évolutions du patrimoine naturel en termes exclusivement physiques ?

Sur quelle réalité devons-nous désormais braquer le projecteur ? De quel ensemble devons-nous suivre les évolutions ? Quel langage, quelle grammaire devons-nous mobiliser – existant ou à inventer – pour construire cette nouvelle comptabilité, pour dessiner l'état du monde désirable et pour tracer les chemins permettant d'y accéder ? Faut-il employer le langage universel qui est aujourd'hui le langage monétaire, ou au contraire prendre au sérieux ce que les physiciens, biologistes et quelques rares économistes soutiennent : nous intéresser non pas aux flux d'utilités ou aux flux monétaires (conventionnels, humains et de surcroît en complet décalage avec la réalité des dangers que nous devons affronter), mais aux flux d'énergie et de matière ? Et dans ce dernier cas, comment ouvrir des passages entre les différentes représentations, comment jeter des passerelles, comment organiser des traductions de l'un à l'autre ? Ce sont toutes ces questions qu'il nous faut collectivement résoudre pour changer les représentations et les modèles que nous utilisons.

Il existe aujourd'hui une véritable course dans l'élaboration de nouveaux indicateurs de richesse complémentaires ou alternatifs au PIB. Florence Jany-Catrice et Jean Gadrey l'ont bien montré[1], le marché est florissant : des dizaines de nouveaux indicateurs synthétiques ou non, monétaires ou non, ont été proposés par ceux qui ont pris conscience de l'inadaptation du PIB pour orienter et évaluer les actions humaines. Ne nous y trompons pas : cette compétition est déterminante. C'est une compétition où sont en jeu les cadres d'interprétation du monde et les normes déterminant l'action pour les décennies qui viennent, une compétition en vue du choix des principes qui orienteront les politiques publiques et privées, une compétition dont l'enjeu est de rendre légitimes certains comportements, certains usages du monde, certaines actions, au détriment d'autres. Une compétition dont sortiront la nouvelle grammaire et le nouveau code organisant les rapports des êtres humains entre eux et de ceux-ci avec la nature, et donc les nouvelles normes qui définiront notamment les modes de production et d'appropriation légitimes.

Témoignent de l'importance des enjeux le fait que l'Organisation de coopération et de développement

---

1. Jean Gadrey et Florence Jany-Catrice, *Les Nouveaux Indicateurs de richesse*, Paris, La Découverte, coll. « Repères », 2012.

économiques (OCDE) y ait consacré des forces impressionnantes (dans un programme précisément intitulé *Mesurer le progrès*), que le président français Nicolas Sarkozy ait souhaité (à la surprise générale de ceux qui s'intéressaient à ces questions) réunir en 2008 une Commission dont le mandat était ni plus ni moins de reconnaître officiellement les limites du PIB et de proposer d'autres indicateurs, et que la Commission européenne, plusieurs organisations internationales, mais aussi de nombreuses ONG se soient lancées dans la réflexion sur ce sujet.

Hélas ! cette compétition se déroule avec des règles du jeu extrêmement peu claires, entre experts et avec des termes qui ne permettent à l'ensemble de la population ni de prendre clairement conscience des enjeux ni de prendre part à la réflexion. En réalité, il n'y a pas de règles du jeu. On ne sait pas qui peut participer, aucune consultation publique n'est lancée, aucun espace de discussion n'est organisé pour traiter la question et permettre aux citoyens de se l'approprier. Depuis quelques années, la Commission européenne a indiqué qu'elle allait proposer de nouveaux indicateurs, mais c'est surtout la réunion de la Commission sur la mesure des performances économiques et du progrès social, en 2008, qui a constitué un moment essentiel. C'est à elle qu'a été confiée, par le président d'un État – la France –, la mission de recenser les limites du PIB et de proposer de nouveaux indicateurs. Alors qu'il s'agissait de « refaire les comptes », de proposer une nouvelle manière d'aborder, pour nos sociétés, la question de ce qui compte, c'est une petite assemblée d'experts[1],

1. La Commission comptait 25 membres, dont 23 économistes. Et seulement deux femmes...

composée dans sa très grande majorité d'économistes masculins, ne comptant aucun représentant de la société civile, ni du Parlement, qui a travaillé à huis clos, comme le groupe que nous avons été quelques-uns à créer à cette occasion, le Forum pour d'autres indicateurs de richesse (FAIR)[1], l'a fait remarquer.

Nous avons également montré, avec Florence Jany-Catrice, combien les conditions de production de ce rapport méritaient d'être analysées, surtout dans la mesure où il légitimait très fortement certains courants et certaines approches contemporaines en économie, notamment la psychologie expérimentale[2]. La raison d'être de FAIR était principalement de soutenir la cause de l'implication de la société dans le processus de choix de nouveaux indicateurs, au-delà de la nécessaire confrontation des différentes disciplines et de tous leurs courants. La Commission n'a pas consulté la société civile ni impliqué les citoyens ou les élus, ce qui représente une limite considérable au travail accompli. Élaborer une nouvelle comptabilité, une nouvelle grille d'interprétation du monde, une nouvelle grammaire de ce qui compte aujourd'hui, ne peut être entrepris

---

1. Ce Forum pour d'autres indicateurs de richesse a été créé au moment de l'annonce de la mise en place de cette Commission par le président de la République. Il avait pour vocation de soutenir la présence de l'un de ses membres, Jean Gadrey, dans cette Commission, et de promouvoir la nécessité d'une prise en compte de la société civile dans la réalisation d'un diagnostic et de propositions sur le sujet traité. Voir « Le rapport Stiglitz : un diagnostic lucide, une méthode discutable et des propositions qui ne sont pas à la hauteur des enjeux », 2009, http://www.idies.org/index.php?category/FAIR.

2. Florence Jany-Catrice et Dominique Méda, « Le rapport Stiglitz et les limites de l'expertise », note de travail de l'IDIES, n° 14, 2011.

ni par les seuls experts, sans implication de la société, ni par les seuls économistes alors même que les principales découvertes dont nous avons à tirer les enseignements ont été faites par les chercheurs d'autres disciplines : climatologues, biologistes, physiciens... La manière dont la Commission Stiglitz a procédé signifie qu'une option extrêmement forte avait déjà été prise : s'en tenir, pour représenter les évolutions de nos sociétés, ses progrès et sa performance, aux acquis de la science économique. Mais le contenu des réflexions de la Commission doit également attirer notre attention et permet de comprendre en quoi les enjeux d'une telle refonte sont fondamentaux.

La Commission a reconnu les limites du PIB et avancé trois propositions principales : mieux intégrer les inégalités de revenus dans la détermination de celui-ci ; mieux mesurer la qualité de vie et mieux mesurer la soutenabilité[1]. Sur ce dernier point, la Commission a opéré un véritable basculement en recommandant de « prendre en compte la richesse en même temps que les revenus et la consommation » et en précisant que « si les revenus et la consommation sont essentiels pour l'évaluation des niveaux de vie, ils ne peuvent, en dernière analyse, servir d'outil d'appréciation que conjointement à des informations sur la richesse ». Elle a ainsi opéré un parallèle avec les comptabilités d'entreprise pour rappeler le caractère central du bilan : « Le bilan d'une entreprise constitue un indicateur vital de l'état de ses finances : il en va de même pour l'économie dans son ensemble. Pour établir le bilan complet d'une économie, il faut pouvoir disposer d'états chiffrés com-

---

1. Que la Commission définit comme la possibilité de maintenir le bien-être dans le temps.

plets de son actif (capital physique voire, selon toute probabilité, capital humain, naturel et social) et de son passif (ce qui est dû aux autres pays). Si l'idée de bilans pour des pays n'est pas nouvelle en soi, ces bilans ne sont disponibles qu'en petit nombre et il convient d'en favoriser l'établissement... Les mesures de la richesse sont aussi essentielles pour mesurer la soutenabilité. Ce qui est transféré vers l'avenir doit nécessairement s'exprimer en termes de stocks, qu'il s'agisse de capital physique, naturel, humain ou social. Là encore, l'évaluation appropriée de ces stocks joue un rôle crucial. »

Cette proposition constitue un renversement majeur : nous sommes passés d'une conception où la richesse est conçue comme l'augmentation d'un flux (la production ou la valeur ajoutée créée chaque année) à une autre, très différente, où elle est conçue comme l'accroissement d'un stock, d'un actif (ou encore d'un capital, d'un patrimoine, d'un fond(s) [1], d'un ensemble de réalités...). Mais la manière dont ce « capital » est conçu et représenté importe au plus haut point. Or, comme on va le voir, il peut recouvrir de nombreuses réalités et être traduit par des indicateurs très différents. La Commission Stiglitz envisage plusieurs conceptions sans se prononcer clairement pour l'une en particulier, même si dans une première version de son rapport elle penchait nettement en faveur de l'épargne nette ajustée, un type de représentation proposé par un rapport

---

1. Les dictionnaires historiques de la langue française expliquent que les deux termes, fond et fonds, viennent tous deux du latin *fundus* et ont été distingués au XVIIIe siècle. Le terme de fonds signifie à la fois le sol d'une terre en tant que moyen de production, un capital disponible, bref ce que l'on peut mobiliser pour produire un revenu.

publié par la Banque mondiale en 2006, *Where is the Wealth of the Nations ? Measuring Capital for the First Century*[1].

Dans ce rapport, la Banque mondiale proposait une nouvelle définition de la richesse, dite théorie de la richesse inclusive. À partir de la prise en compte de l'ensemble des « capitaux », capital productif, capital humain mais aussi capital naturel, il s'agit de comparer les variations annuelles du capital global. L'épargne nette ajustée se calcule comme l'épargne nette d'un pays, diminuée de la valeur des dégradations du capital naturel et augmentée de la valeur de l'investissement dans le capital humain[2]. Même si la dernière version du rapport de la Commission sur la mesure des performances économiques et du progrès social consacre des analyses approfondies aux limites d'un tel indicateur et tient largement compte des critiques qui lui ont été adressées[3], elle n'exclut pas totalement son usage puisqu'elle propose d'« axer l'agrégation monétaire sur des éléments pour lesquels il existe des techniques d'évaluation raisonnables, tels que le capital physique, le capital humain et les ressources naturelles échangées sur des marchés ».

Or, les implications philosophiques de cette représentation sont immenses : car elle consiste, d'une part, à donner une valeur monétaire à des éléments qui ne sont pas marchands et ne sont pas destinés à faire

---

1. Banque mondiale, *Where is the Wealth of the Nations ? Measuring Capital for the First Century*, 2006.
2. Géraldine Thiry, « Indicateurs alternatifs au PIB : Au-delà des nombres. L'Épargne nette ajustée en question », *Émulations*, 2010, n° 8.
3. Sur le rapport intermédiaire, notamment par le réseau FAIR.

l'objet d'un échange sur un marché et, d'autre part, à considérer comme substituables, c'est-à-dire parfaitement remplaçables l'un par l'autre, les trois types de capitaux. La vérité d'une telle représentation, qui peut paraître séduisante au premier abord, peut donc se traduire ainsi : il y aura toujours suffisamment de capital humain et de capital technique, donc de forces humaines capables de produire du progrès technique pour fabriquer l'équivalent du capital naturel. Peu importe que celui-ci soit peu à peu détruit, les êtres humains sont assez intelligents pour produire un capital artificiel qui génèrera pour les hommes un flux d'utilités équivalent à celui qui est aujourd'hui généré par le capital naturel. Dans cette représentation, c'est le flux d'utilités et de satisfactions dont profitent les êtres humains qui seul importe et non la réalité qui est à son origine.

Dans la conception de la soutenabilité faible, qui est celle qui vient d'être exposée, le risque pris est immense, et l'humanité joue à pile ou face : si le progrès technique n'est pas au rendez-vous, elle risque simplement de disparaître ou d'être confrontée à des conditions de vie indignes. Dans la conception de la soutenabilité forte, la substitution n'est pas possible. Il faut donc définir les éléments du capital naturel qui importent, le capital naturel critique, qui sera transmis aux générations futures.

Dans le premier cas, nous avons affaire à une véritable manifestation d'*hybris* : cette croyance témoigne d'une stupéfiante confiance en soi (puisqu'il en a toujours été ainsi, nous parviendrons à fabriquer le progrès technique dont nous avons besoin), et d'une dangereuse pathologie : car il ne s'agit rien moins que d'engager l'éventuelle destruction du capital naturel au nom...

du flux d'utilités que nous devons pouvoir continuer à retirer de la nature. Une telle conception trahit un utilitarisme radical : ce qui doit principalement être préservé et transmis aux générations futures, c'est un « X », une sorte de noumène qui devra être capable de générer le même flux « d'utilités » que celui qui est produit aujourd'hui. Si l'économie de l'environnement – la théorie économique néoclassique qui cherche à intégrer la contrainte environnementale dans ses équations – accorde aujourd'hui une place à la nature, c'est en tant que capital support de flux d'utilités ou de services, et non en tant que réalité constituée de terrains, de forêts, de ressources, d'espèces, de faune, de flore et d'écosystèmes. La nature nous importe en tant que productrice d'aménités et de bien-être et l'essentiel est que quelque chose, la nature ou n'importe quoi d'autre, peu importe quoi, puisse continuer à être à l'origine de ce flux. Autrement dit, la réalité de la nature n'a pas d'importance.

CHAPITRE 9

Reconnaître la valeur de la nature :
où l'on s'interroge sur le meilleur moyen
de contrecarrer l'utilitarisme des économistes

La question majeure est donc celle de ce patrimoine dans lequel nous puisons pour assurer notre production et que nous transformons radicalement, non seulement en opérant des prélèvements sur des ressources renouvelables et non renouvelables, mais en modifiant les paysages, les cycles de reproduction des plantes, le développement des espèces, le climat, en dégradant les écosystèmes et en modifiant la biodiversité, en accumulant des déchets et en générant des pollutions de toute nature. Est-ce ce patrimoine que nous voulons conserver dans son intégrité ou le flux de services et d'utilités qu'il nous permet d'obtenir ? Que souhaitons-nous transmettre ? Qu'est-ce qui compte ? À quoi exactement accordons-nous de la valeur ?

L'économie néoclassique, après avoir ignoré les ressources naturelles, qui n'entraient pas dans son champ car elles étaient gratuites et sans valeur[1], les a réintégrées

---

1. « Les richesses naturelles sont inépuisables car sans cela nous ne les obtiendrions pas gratuitement. Ne pouvant être multipliées ni épuisées, elles ne sont pas l'objet des sciences économiques », affirme Jean-Baptiste Say dans son *Traité d'économie politique*, Paris, Calmann-Lévy, coll. « Perspectives économiques », 1972.

au cours du XXᵉ siècle, notamment à travers les thèses de Robert Solow et de John Hartwick, deux économistes. À la question de savoir comment assurer un objectif d'équité intergénérationnelle dans l'allocation des ressources naturelles non renouvelables, Solow répond, entre autres dans deux célèbres articles publiés en 1974 et 1986[1], qu'il suffit que la consommation par tête soit constante à travers le temps. Ainsi, aucune génération ne sera favorisée par rapport à une autre. Il s'agira donc de déterminer « le plus haut niveau fixe de consommation par tête pouvant être indéfiniment maintenu compte tenu de l'ensemble des contraintes existantes, parmi lesquelles le caractère fini des ressources ». Conformément à l'utilitarisme qui caractérise l'économie standard, Solow défend l'idée que c'est le niveau de consommation qui est déterminant : le critère de bien-être est le niveau de consommation atteint par la génération la moins bien lotie. Dès lors, il indique, dans une phrase édifiante que Jean-Paul Maréchal[2] a relevée à juste titre, qu'« en d'autres termes, la génération actuelle peut légitimement se servir dans la réserve commune pour autant qu'elle laisse la possibilité à la génération suivante d'être aussi riche qu'elle[3] ». Il suffira pour cela d'investir la rente tirée de l'exploitation d'une ressource naturelle non renouvelable dans

1. Robert M. Solow, « The Economics of Resources or the Resources of Economics », *The American Economic Review*, vol. 64, n° 2, 1974, p. 1-14 et du même auteur, « On the Intergenerational Allocation of Natural Resources », *Scandinavian Journal of Economics*, Wiley Blackwell, vol. 88 (1), p. 141-149.
2. Jean-Paul Maréchal, « Le développement durable dans la pensée néoclassique », Sebes, 1996.
3. « On the Intergenerational Alocation of Natural Resources », *art. cit.*, p. 143.

le développement d'un capital productif qui génèrera le même niveau d'utilité, donc de consommation. Plus précisément, conclut Solow : « L'accumulation du capital reproductible compense exactement la diminution du flux de ressources consommées[1]. »

Ce qui doit être conservé et transmis et ce qui importe n'est pas un ensemble de réalités bio-physico-chimiques déterminées dont on pourrait recenser précisément les composants, mais un capital susceptible de générer un niveau de consommation ou un flux d'utilités identiques. Les présupposés d'une telle thèse sont considérables. D'abord, le niveau de consommation est l'unique critère à l'aide duquel est évalué le caractère juste, efficace et donc désirable d'une situation. L'utilitarisme est patent. Ensuite, le raisonnement économique classique (ici la règle de Hotelling selon laquelle le prix de la ressource augmente avec la diminution du stock de celle-ci jusqu'à un moment où la demande s'annule) fait l'objet d'une confiance aveugle : si une ressource naturelle non renouvelable s'épuise, son prix augmentera peu à peu jusqu'à rendre inexistante la demande qui se porte sur elle ; les revenus qui sont issus de son exploitation permettront le développement d'autres moyens ou l'exploitation d'autres types de ressources. Il se trouvera toujours un autre substitut, matériel ou naturel, permettant de produire les mêmes effets, le même niveau d'utilité ou de consommation.

Le double versant de cette hypothèse mérite d'être pleinement considéré. D'une part, la thèse affirme que l'on trouvera toujours un moyen pour remplacer une

---

1. « The accumulation of reproductible capital exactly offsets the inevitable and efficient decline in the flow of resource inputs », p. 145, 1986.

ressource naturelle productrice d'utilités : c'est là l'expression d'un véritable acte de foi dans le progrès technique. D'autre part, on nous suggère que nous ne devons pas nous attacher de façon « romantique » au substrat et aux caractéristiques physiques de cette ressource naturelle. Elle ne mérite notre considération qu'en tant que support de flux d'utilités. C'est là le postulat le plus lourd : à supposer que la nature soit constituée principalement d'un ensemble de ressources renouvelables et non renouvelables (ou du moins qu'elle soit représentée comme telle), cela signifie que sa réalité et sa matérialité nous importent peu, que sa composition d'éléments biologiques et physiques ayant un effet sur nos sens, provoquant des émotions esthétiques et exerçant un effet sur nos corps n'est pas essentielle ; que seule compte sa capacité à générer de hauts niveaux de consommation ; et finalement, que la nature comme ensemble de forêts, de prés, de champs, d'oiseaux, de rivières, de nuages, de pluie, d'écosystèmes, d'odeurs, de réalités physico-sensibles... peut disparaître, pourvu qu'un capital artificiel, technique, productif soit capable de provoquer non pas les mêmes sentiments ni les mêmes émotions, mais les mêmes satisfactions. On touche là, au-delà de la question de la croyance au progrès technique, à celle des fonctions réellement assurées par la nature (les connaissons-nous toutes ? sommes-nous capables de toutes les reproduire ?) à une interrogation centrale qui concerne ce à quoi nous sommes attachés, ce à quoi nous tenons, ce qui compte et ce que nous devons transmettre.

Quelle est notre priorité : les satisfactions que nous apporte la nature ou l'existence de la nature elle-même ? Autrement dit un capital technique différent pourrait-il nous apporter les mêmes, ou sinon des satisfactions de même intensité ? Toutes nos perceptions et toutes nos actions peuvent-elles être considérées comme des satisfactions ? Toutes les satisfactions sont-elles réductibles à une unité de mesure commune ? Que souhaitons-nous voir conservé, transmis aux générations futures ? Et avons-nous le droit d'en décider ? Pouvons-nous imposer aux générations suivantes le résultat d'un choix opéré par notre génération, guidé par une vision radicalement utilitariste de la nature, selon laquelle ce n'est pas celle-ci dans sa réalité concrète qui importe mais les niveaux de consommation qu'elle-même – ou les artifices par lesquels elle a peu à peu été remplacée – génère ?

Les questions subséquentes sont innombrables, dont celle de savoir de quoi est composée cette nature que nous voudrions transmettre. Il ne s'agit évidemment pas d'une nature vierge et immaculée : la nature que nous connaissons est toujours déjà domptée par l'homme, cultivée et artificialisée. C'est une « seconde nature », un hybride entre nature et culture, entre nature et artifice, presque toujours déjà une œuvre humaine. Devons-nous complètement cesser de travailler la nature, de la transformer, devons-nous la « muséaliser », la conserver dans son état actuel ? Quelles transformations avons-nous le droit de lui imposer ? Quelles parties physiques et réelles de la Nature devons-nous nous interdire de transformer ou de faire disparaître ?

Le caractère éminemment anthropocentrique et utilitariste des thèses de l'économie standard que nous venons d'exposer, qui conduit à ne voir dans la nature qu'un « capital » producteur d'utilités pour les humains et donc à la réduire aux seules ressources utiles au processus de production, c'est-à-dire à sa seule valeur économique, permet de comprendre l'ampleur des réactions critiques dont témoigne par exemple la *deep ecology*, ou les écrits de celui qui est considéré comme le fondateur de ce courant, Aldo Leopold. Dans son *Almanach d'un comté des sables*, publié en 1949[1], celui-ci rappelait que si nous avons inventé des éthiques régissant les rapports entre individus et entre l'individu et la société, « il n'existe pas à ce jour d'éthique chargée de définir la relation de l'homme à la terre, ni aux animaux et aux plantes qui vivent dessus. La terre [...] est encore considérée comme propriété. La relation à la terre est encore une relation strictement économique, comportant des droits, mais pas de devoirs ».

Une telle éthique suppose de ne pas réduire la nature à un ensemble de ressources utilisables dans le processus de production et la relation homme-nature à une relation de conquête et de domination : « Une éthique destinée à doubler et à orienter tout à la fois la relation économique à la terre présuppose l'existence d'une image mentale de la terre en tant que mécanisme biotique. Nous ne sommes potentiellement éthiques qu'en relation à quelque chose que nous pouvons voir, sentir, comprendre, aimer d'une manière ou d'une autre. » La révolution prônée par Leopold implique une double remise en cause : renoncer à ne voir dans la nature qu'un capital à exploiter pour en tirer des utilités et donc cesser de la réduire à sa valeur économique ; renoncer à la vision du monde cartésienne dans laquelle l'homme et la nature sont radicalement distincts et dans un rapport de domination et de conquête. L'homme appartient à la nature, il ne peut pas tout

---

1. Aldo Leopold, *Almanach d'un comté des sables*, Paris, Flammarion, coll. « Garnier Flammarion », 2000.

connaître de celle-ci, n'a pas le droit, pour son bien et au nom d'une éthique supérieure qui ne se réduit pas à l'intérêt bien compris, de la mettre en coupe réglée.

Une telle position suppose de reconnaître à la nature une valeur autre qu'économique : « Il me paraît inconcevable, écrit Leopold, qu'une relation éthique à la terre puisse exister sans amour, sans respect, sans admiration pour elle, et sans une grande considération pour sa valeur. Par valeur j'entends bien sûr quelque chose qui dépasse de loin la valeur économique : je l'entends au sens philosophique. » C'est cette idée d'une valeur intrinsèque de la nature qui a été développée et précisée par l'éthique de l'environnement à partir des années 1980, suivant une optique fondamentalement anti-utilitariste et anti-anthropocentrique. Baird, l'un des représentants éminents de ce courant, écrivait ainsi en 1989[1] : « La théorie de la valeur intrinsèque permet d'échapper à l'utilitarisme économique et aux analyses en termes de coûts et de bénéfices dans lesquelles la valeur naturelle des expériences esthétiques, religieuses ou épistémiques, parce qu'elles ne possèdent aucun prix, ne représente pratiquement rien au regard des bénéfices économiques matériels considérables que procurent le développement et l'exploitation. » Le postulat fondamental est le suivant : la nature ne peut se réduire à sa valeur économique, elle a une valeur intrinsèque, non réductible aux seuls avantages que les êtres humains peuvent en tirer.

1. Callicot Baird, *In Defense of the Land Ethic. Essays in Environmental Philosophy*, State University of New York Press, Albany, 1989, traduit dans Alain de Benoist, « La Nature et sa valeur intrinsèque », *Krisis*, n° 15, 1993.

Cette éthique de l'environnement se donne « un nouvel objet, le monde naturel non humain, jugé digne de considération morale pour lui-même, c'est-à-dire indépendamment de tout coefficient d'utilité pour l'existence des hommes et envisagé comme lieu de valeurs intrinsèques ou comme détenteur de droits dont l'existence comme telle commande un certain nombre d'obligations morales et juridiques[1] ». Cette prise de position est contemporaine de la volonté des philosophes engagés dans cette réflexion « d'interroger explicitement les modalités générales du rapport à la nature tel qu'il a été pensé par la tradition philosophique, morale, scientifique et religieuse occidentale ». Les philosophes rassemblés sous l'étiquette « éthique environnementale » partagent deux convictions. En premier lieu, aborder sérieusement la crise écologique suppose de rompre radicalement avec la perspective anthropocentrique développée par Descartes, ou au moins de l'infléchir considérablement. Par ailleurs, la question de la valeur de la nature est aussi centrale pour eux que pour les économistes. Une grande partie des réflexions présentées par ce courant vise en effet à démontrer que si certaines valeurs sont issues de l'opération d'évaluation menée par les hommes, d'autres existent dans le monde indépendamment de ceux-ci, et qu'il « est possible d'accepter que quelque chose a de la valeur indépendamment de la valeur que l'homme lui accorde ».

Une telle perspective ne va pas de soi dans la mesure où elle se heurte à la question délicate du sujet « (é)valuant », du sujet qui donne de la valeur : la

---

1. Hicham-Stéphane Afeissa, *Éthique de l'environnement. Nature, valeur, respect,* Paris, Vrin, 2007.

nature peut-elle avoir de la valeur en soi, indépendamment d'un sujet capable d'évaluer et de donner de la valeur ? Pouvons-nous aussi facilement échapper à l'anthropocentrisme ? Le biocentrisme auquel il s'oppose n'est-il pas un anti-humanisme dans la mesure où il accorde à la moindre forme de vie une importance aussi grande qu'aux êtres humains, dès lors que ceux-ci ne sont plus les rois de la nature : la vie d'un homme aurait autant de valeur que celle d'une fourmi... Néanmoins, ce très riche courant propose de nombreuses formes de réconciliations possibles entre ces positions et plus généralement entre les êtres humains et la nature, comme la thèse défendue par Baird Callicot pour lequel les êtres humains sont bien la source de toute valeur, mais sont capables de valoriser la nature pour elle-même et non pour leur intérêt propre. Callicot qualifie dès lors cette valeur d'*anthropogénique* et non d'*anthropocentrée*.

Comme l'écrit le philosophe Hicham-Stéphane Afeissa : « En apprenant à reconnaître la valeur de ce à quoi nous n'attachons personnellement aucune valeur, il est possible de découvrir que nous avons encore des devoirs au-delà de nos préférences et de nos préoccupations humaines, ce qui permet de jeter les premières bases d'une éthique de l'environnement [...] susceptible d'avoir une application politique concrète en attaquant de front la tendance des décideurs à traduire toute stratégie environnementale en termes économiques (comme si les intérêts économiques pouvaient à eux seuls épuiser le champ des valeurs humaines). » Mais alors, au-delà de la valeur économique, quelle valeur reconnaître à la nature ? Quel langage devons-nous adopter pour la décrire ? Quels éléments devons-nous transmettre ou conserver pour permettre à nos enfants non seulement d'avoir accès aux mêmes satisfactions que nous mais de bénéficier des mêmes plaisirs et des mêmes émotions, et plus simplement de pouvoir accéder aux mêmes éléments constitutifs de l'intégrité de la nature ?

La bonne manière de recenser ces éléments consiste-t-elle à décrire la nature en termes de « services rendus », à l'instar des comptables nationaux qui décrivent les activités se déroulant à l'intérieur de la famille comme une « production non marchande des ménages » (c'est-à-dire comme des services rendus à l'intérieur de la famille, susceptibles d'être qualifiés ainsi parce qu'ils ont leur équivalent dans le monde marchand) ? Depuis les travaux de Costanza en 1997[1], les économistes se sont attachés à définir la valeur des services rendus par les écosystèmes pour mieux souligner leur nombre et l'ampleur de la perte que nous consentons lorsque nous détruisons des parties de nature qui nous semblent sans valeur (parce qu'elles sont sans valeur apparente). L'idée est que la nature nous rend une série de « services », détaillés par les auteurs en dix-sept catégories ne comprenant que les services renouvelables. La nature vaudrait, selon ces calculs, 33 000 milliards de dollars (en fait entre 16 000 et 54 000 milliards), c'est-à-dire près du double du PIB mondial (18 000 milliards de dollars)[2]. Ces « services » sont évalués monétairement et d'une façon que l'on peut qualifier d'utilitariste et d'anthropolo-

---

1. Robert Costanza and al., « The Value of the World's Ecosystem Services and Natural Capital », *Nature*, vol. 387, p. 253-260.
2. Chiffres 1994.

gique puisqu'il s'agit de ne donner une valeur qu'à des fonctions utiles à l'homme.

Depuis ces premiers travaux, les évaluations contingentes, les méthodes coûts-bénéfices, les estimations se sont multipliées, toutes mobilisant la monnaie comme langage commun, toujours sous le prétexte que les ressources naturelles seraient aujourd'hui pillées parce qu'elles n'auraient pas de valeur. Il faudrait donc leur en donner une, et ce processus passerait par la fiction d'un marché destiné finalement à donner un prix aux différents services que la nature rend à l'homme. Certains économistes proposent le concept de valeur économique totale, considérée comme la somme des valeurs d'usage (usage direct, usage indirect, option) et de non-usage : legs et existence dans laquelle la valeur d'option représente les bénéfices futurs et les valeurs de non-usage, les bénéfices que tirera un agent du maintien dans le temps de la disponibilité d'un bien, sans que celui-ci soit destiné à être utilisé. Pour approcher de telles valeurs, on procède par évaluation contingente[1] et on interroge les personnes sur leur consentement à payer. Dans cette représentation, la nature constitue autant de « réservoirs d'utilités » pour l'homme (les fameux magasins de la Nature de Say) : l'homme est la mesure de toute chose. Certes, toutes les méthodes ne se ressemblent pas : le recours à la monétarisation peut recouvrir des opérations très différentes et correspondre à des philosophies qui n'ont que peu de chose à voir. La monétarisation peut ainsi consister à donner

---

1. La méthode d'évaluation contingente permet de proposer une évaluation monétaire de tout ce qui est d'ordinaire non marchand. Sur cette question, voir Julien Milanési, « Éthique et évaluation monétaire de l'environnement : la nature est-elle soluble dans l'utilité ? », *Vertigo*, vol. X, n° 2, septembre 2010.

un prix « politique » qui n'a rien à voir avec une éventuelle valeur de marché[1].

La monétarisation peut également être mise au service d'une estimation des dommages provoqués sur le capital naturel dans des processus de réparation ou même dans des comptabilités, telle que celle que propose Jacques Richard – intitulée CARE[2] –, dont la mise en œuvre obligerait les entreprises à organiser la prise en charge des dégradations apportées au capital naturel et à provisionner pour cela une dotation aux amortissements du capital naturel venant diminuer d'autant les profits. Mais la valeur accordée à la nature ne peut se limiter à une estimation monétaire des services rendus ou des dégradations produites. Elle doit également pouvoir être reconnue et respectée hors de toute entreprise de monétarisation, ce qui pose à nouveau la question de savoir quel est ce patrimoine, cette réalité que nous devons transmettre dans une relative intégrité à nos successeurs.

---

1. Jacques Weber, « L'évaluation contingente : les valeurs ont-elles un prix ? », CERI, juillet/août 2003.

2. Jacques Richard, *Comptabilité et développement durable*, Paris, Economica, 2012. Le système de comptabilité proposé par Jacques Richard, CARE, signifie « Comptabilité adaptée au renouvellement de l'environnement ».

CHAPITRE 10

Transmettre aux générations futures un patrimoine intègre : où l'on s'interroge sur les règles et sur le contenu de notre legs aux générations futures

La question centrale qui se pose, à propos de ce que nous devons léguer aux générations futures, concerne à la fois – formellement – la règle à respecter pour que les possibilités de vie et d'épanouissement ouvertes aux différentes générations soient égales, et – substantiellement – le contenu de ce qui doit être transmis. La plupart des économistes, on l'a vu, ont coutume de procéder en comparant des niveaux de satisfaction ou d'utilité : il faudrait faire en sorte que chaque génération accède à la même quantité de consommation par tête sachant que 1) Une unité de bien-être maintenant vaut plus (pour nous) qu'une unité de bien-être demain (ce que reflète la valeur du taux d'actualisation, toujours supérieure à zéro) ; 2) Les générations futures seront de toute façon plus riches que les générations présentes.

Les trois postulats sont critiquables. Peut-on vraiment comparer des niveaux d'utilité ? Cela suppose non seulement de savoir ce qu'est un « niveau d'utilité », mais de pouvoir réellement comparer des degrés de satisfaction. Cela implique également de réduire la diversité des rapports au monde à un seul – la consommation – et d'être indifférent au devenir des choses mêmes, du « support » qui produit l'utilité ou la satisfaction, en raison du postulat selon lequel il serait possible de substituer du capital artificiel à du capital naturel. Par ailleurs, considérer qu'une unité de bien-être vaut aujourd'hui plus qu'une unité de bien-être demain revient à accorder à la génération actuelle une supériorité sur les autres générations[1]. Enfin, imaginer que les générations de demain seront plus riches que celles d'aujourd'hui suppose que les taux de croissance auront continué à augmenter régulièrement (ce qui n'est ni certain, ni désirable) et que les conditions de vie n'auront pas été dégradées.

Quelle est la méthode qui nous permettra de déterminer ce que nous devons transmettre aux générations futures ? Quelles règles et quels principes adopter pour être certains de transmettre aux générations suivantes non seulement ce qui *nous* semble essentiel et ce à quoi nous tenons aujourd'hui mais aussi ce qui pourrait être considéré comme essentiel par les générations futures mais dont nous ignorons l'importance ? Si nous sommes capables de recenser des services essentiels rendus par les écosystèmes, il est certain que nous en igno-

---

1. En 1993, dans un article intitulé « Choix du taux d'actualisation social et environnement », *Revue française d'économie*, vol. 8, n° 3, 1993, p. 111-147, Jacques Benhaim, un économiste, écrivait : « La problématique du taux d'actualisation s'est transformée : on est passé d'une logique où il fallait arbitrer entre consommation présente et consommation future à une logique où il faut arbitrer entre plus de consommation présente ou future et des coûts catastrophiques dans le futur. Ce glissement a conduit à repenser la pertinence de la procédure d'actualisation en matière d'environnement ou à la réfuter, voire à suggérer l'usage d'un taux d'actualisation négatif. »

rons d'autres et que nous courons donc le risque, en faisant disparaître certains éléments, de priver nos descendants de ressources précieuses. Nous ne savons ni ce dont ils auront besoin, ni ce que seront leurs goûts. Avons-nous le droit, en un mot, de les priver non seulement d'éléments et de fonctions qui se révéleront peut-être essentiels à leur vie, voire à leur survie, mais aussi de perceptions, d'émotions, de sensations physiques, esthétiques, corporelles, intellectuelles que nous serions alors les derniers à connaître ?

Non. Nous n'avons pas le droit, au nom de notre bien-être, d'éliminer les éléments d'une nature qui ne nous appartient pas et dont nous ne sommes que les usufruitiers. Nous devons les conserver et les transmettre à la génération suivante comme des biens communs collectifs dont nous devons organiser la gestion la plus respectueuse possible en conservant à la nature sa part d'inconnu. Rompre avec l'utilitarisme est essentiel. Mais cela ne suffit pas. Encore faut-il trouver les principes et les règles qui nous permettront de définir les opérations que nous pouvons réaliser actuellement sur ce qui nous a été légué par la génération antérieure et de déterminer ce que nous devons laisser à la génération suivante.

Le principe proposé par le philosophe Hans Jonas en 1980 dans son ouvrage majeur, *Le Principe responsabilité*[1], même s'il a été l'objet de critiques sur lesquelles nous allons revenir, constitue un premier point d'ancrage à la recherche d'une nouvelle éthique, c'est-à-dire de nouvelles règles organisant la relation entre les êtres humains et la nature. À l'instar d'Aldo Leopold

---

1. Hans Jonas, *Le Principe responsabilité. Une éthique pour la civilisation technologique*, Paris, Éditions du Cerf, coll. « Passages », 1990.

dans son *Almanach d'un comté des sables*, Jonas propose d'adopter le principe suivant comme maxime : « Agis de façon que les effets de ton action soient compatibles avec la permanence d'une vie authentiquement humaine sur terre. » Ou pour l'exprimer négativement : « Agis de façon que les effets de ton action ne soient pas destructeurs pour la possibilité d'une telle vie. » Ou encore : « Ne compromets pas les conditions pour la survie indéfinie de l'humanité sur terre. » Cet impératif affirme que nous avons le droit de risquer notre propre vie, mais pas celle de l'humanité. Nous n'avons pas le droit de choisir le non-être des générations futures à cause de l'être de la génération actuelle, et nous n'avons même pas le droit de le risquer.

Ce principe a été critiqué, y compris très récemment, par Michaël Foessel, parce qu'il révélerait une préférence absolue pour la vie, un biocentrisme soupçonné d'accorder la même valeur à toutes les formes de vie et de négliger l'absolue spécificité humaine. Autrement dit, la préférence absolue pour la vie risquerait de se retourner en anti-humanisme. Si Jonas prête le flanc à ce type de critiques dans certains des passages du *Principe responsabilité*, par exemple lorsqu'il écrit en parlant de la nature : « Un appel muet qu'on préserve son intégrité semble émaner de la plénitude du monde de la vie, là où elle est menacée [1] », de multiples passages mettent en évidence que le destinataire final de cette éthique et de ces soins est bien l'humanité. C'est bien la permanence d'une vie authentiquement humaine qui est le but ultime recherché, ou encore « l'intégrité future de l'homme », et non la permanence de n'importe quelle forme de vie.

---

1. *Le Principe responsabilité, op. cit.*, p. 49.

L'intérêt porté à la nature n'a pas trait à celle-ci directement, pas plus qu'il n'a trait à la vie en soi : il s'agit de la nature comme demeure des êtres humains, comme condition de « bonne vie » pour ceux-ci, comme puissance susceptible d'abriter mais aussi de menacer l'homme. Michaël Fossel voit en Jonas le pourfendeur du principe *Fiat justicia, pereat mundus* (« Que justice se fasse, même si le monde doit périr ») qu'il considère comme le principe humaniste par excellence, puisqu'il exprime la possibilité pour l'homme de choisir le monde dans lequel il souhaite vivre et qu'il souhaite défendre. L'auteur du *Principe responsabilité* semble pourtant un des auteurs les plus à même de réconcilier anthropocentrisme et biocentrisme, c'est-à-dire, à l'instar de Baird Callicot, de produire une synthèse où le soin et l'intérêt accordés à la nature sont partie prenante de la finalité ultime de l'éthique : la qualité des conditions dans lesquelles s'épanouit la vie humaine.

Nous partageons en revanche l'idée défendue par Axel Gosseries dans *Penser la justice entre les générations*[1], suivant laquelle l'impératif de survie de l'humanité proposé par Jonas « ne saurait suffire à lui seul à constituer une théorie solide de la justice entre générations[2] ». C'est précisément à élaborer celle-ci et à en préciser les règles que Gosseries a consacré un grand nombre d'ouvrages et d'articles qui permettent de préciser les intuitions générales de Léon Bourgeois ou de Bertrand de Jouvenel. Le premier écrivait ainsi en 1902, dans *Solidarité* : « Ce n'est pas pour chacun de nous en particulier que l'humanité antérieure a amassé

---

1. Alex Gosseries, *Penser la justice entre les générations. De l'affaire Perruche à la réforme des retraites*, Paris, Aubier, coll. « Alto », 2004.
2. *Ibid.*, p. 21.

ce trésor, ce n'est ni pour une génération déterminée, ni pour un groupe d'hommes distinct. C'est pour tous ceux qui seront appelés à la vie, que tous ceux qui sont morts ont créé ce capital d'idées, de forces, d'utilités [...] C'est un legs de tout le passé à tout l'avenir. Chaque génération qui passe peut vraiment se considérer que comme en étant l'usufruitière, elle n'en est investie qu'à charge de le conserver et de le restituer fidèlement. Et l'examen plus attentif de la nature de l'héritage conduit à dire en outre : à charge de l'accroître. » Le second proposait, en 1968, dans *Arcadie. Essais sur le mieux vivre,* de considérer que le progrès est « l'accroissement successif du patrimoine social, tellement que chaque génération active lègue à la suivante un plus riche actif, tangible et intangible ».

Gosseries nous invite à réfléchir aux règles de transmission de ce « capital d'idées, de forces, d'utilités » ou de ce « patrimoine social ». Analysant les réquisits, les postulats et la cohérence des différentes conceptions de la justice intergénérationnelle (réciprocité indirecte, utilitarisme, libertarisme, égalitarisme de Rawls...), il rappelle qu'à de rares exceptions près, toutes les théories de la justice déconseillent la désépargne générationnelle (une génération transfère à la génération suivante un capital, entendu au sens large, inférieur à celui dont elle a elle-même hérité) et que la plupart recommandent l'épargne générationnelle (transmettre à la génération suivante un capital supérieur à celui dont on a soi-même hérité). Rappelant le modèle en deux temps de Rawls, selon lequel à une phase d'accumulation[1], pendant laquelle l'épargne est autorisée, succède une

---

1. Qui vise à permettre la mise en place d'une richesse économique apte à garantir une stabilité minimale aux institutions justes.

phase de croisière où l'accumulation cesse d'être une obligation, Gosseries plaide, et de manière convaincante, pour un « égalitarisme revisité » qui passe par la double interdiction de l'épargne et de la désépargne.

En effet, l'épargne se fait au profit des générations suivantes, donc au détriment des plus défavorisés de la génération actuelle. Si l'épargne est nécessaire dans la phase d'accumulation, non pas pour augmenter le bien-être de l'ensemble des générations, mais pour mettre en place des institutions aptes à défendre les libertés de base des personnes, elle ne l'est plus en phase de croisière et doit être interdite dans la mesure où elle viole le principe consistant à procurer le maximum aux plus défavorisés : « Transférer plus au futur, écrit Gosseries, c'est sacrifier d'autant le sort des plus défavorisés du présent. Or ce n'est que si chaque génération s'en tient à un principe d'interdiction tant de l'épargne que de la désépargne que le monde intergénérationnel que nous construirons pourra être considéré comme celui où le plus défavorisé, quelle que soit la génération à laquelle il appartient, sera plus favorisé qu'il l'aurait été dans un monde différemment organisé. » Une telle règle, interdiction de l'épargne et de la désépargne, si elle peut nous servir de viatique, ne suffit pas : il nous reste à déterminer ce que nous devons transférer aux générations suivantes.

Pour avancer sur cette question, il importe en premier lieu de substituer à la notion de *capital* celle de *patrimoine*. La notion de capital renvoie à une conception principalement instrumentale : un capital est ce qui, placé, produira un intérêt ou, mobilisé, générera un flux de produits. Le capital est un support. Et la tentation est toujours forte de réduire sa valeur à une unité commune. La notion de patrimoine, elle, suppose, comme le suggère Jouvenel, un caractère plus diversifié de ses composants et attire l'attention sur l'intégrité des éléments à transmettre[1]. Le caractère instrumental est moins affirmé, l'intérêt est dirigé vers le contenu[2]. Reste donc, pour savoir ce que nous devons absolument conserver parce que nous (ou nos descendants) y attachons (-erons) une importance particulière, à dresser un inventaire des éléments de ce patrimoine qui comptent, non pas pour chaque individu, mais cette fois, pour l'ensemble de la société. Autrement dit, à dresser un inventaire des éléments nécessaires à l'inscription de nos sociétés dans la durée, un inventaire de nos biens communs.

Cette approche peut être considérée comme holiste dans la mesure où elle se fonde sur le fait que « la société », sa cohésion, est à elle seule un bien commun et qu'éviter la désintégration des sociétés en leurs composants premiers – des agrégats inorganisés d'individus[3] –, continue de représenter, pour nous comme pour les penseurs du XVIIIᵉ siècle, un bien. Cette désintégration, cette balkanisation de la société peut advenir sous le coup de guerres civiles ou extérieures. L'éviter

---

1. Comme le défend également Franck-Dominique Vivien, notamment dans « Et la nature devint patrimoine… », in C. Barrère et al. (éds), *Réinventer le patrimoine. De la culture à l'économie, une nouvelle pensée du patrimoine*, Paris, L'Harmattan, 2005. Le dictionnaire historique de la langue française rappelle que le terme de patrimoine, biens de famille, biens légués par le père, s'employait au propre comme au figuré, par exemple *patrimonium populi*, « trésor public ».

2. Même si dans tous les cas, ces termes sont traductibles en valeurs économiques ou monétaires… Mais quel autre terme que capital, actif, fond(s) ou patrimoine trouver ?

3. « Une poussière infinie d'individus inorganisés » écrit Durkheim dans *De la division du travail social, op. cit.*

suppose de recenser les vecteurs de cohésion sociale tels que la répartition la plus égalitaire possible des revenus et des emplois, mais aussi des protections, des droits et des libertés. L'autre cause de disparition ou de dégradation radicale de nos sociétés a trait au patrimoine naturel, également commun. Comme pour les facteurs de cohésion sociale, il importe d'en dresser un inventaire de manière à organiser le transfert des éléments les plus précieux aux générations futures.

Dresser un inventaire du patrimoine naturel est une tâche immense. Des travaux ont déjà commencé pour la biodiversité, les minerais, les ressources non renouvelables, les forêts, les nappes phréatiques, les stocks de poissons[1]... Il s'agit à la fois de comptabiliser des quantités (des stocks), mais aussi des états, des qualités (de l'eau, de l'air, des terres...), des niveaux, aux différentes échelles locales, nationales et mondiales, de manière à suivre précisément les évolutions et à orienter les actions. Certaines approches de la soutenabilité forte proposent de considérer un « capital critique » : nous devrions pouvoir collectivement nous accorder sur les éléments du patrimoine naturel qui devraient être intouchables ou dont la qualité ne devrait pas diminuer (parmi lesquels l'eau, le climat, la biodiversité, les forêts...). Une telle entreprise devrait aboutir à établir une carte de « biens communs » dont les règles de propriété et de gestion devraient être spécifiques, ainsi que des objectifs chiffrés précis sur les stocks ou les qualités

---

1. On pense à ce que le père de la Maison de Salomon, dans *La Nouvelle Atlantide*, raconte dans la lettre qu'il écrit en réponse aux demandes qui lui sont adressées : « Le fondateur de la Maison de Salomon, le roi Salomona, soucieux de savoir ce que l'Ile produisait, envoya douze des siens effectuer ce travail de recensement qui dura six ans. »

des ressources critiques, et sur les facteurs susceptibles de les dégrader.

Le travail n'est pas moins difficile s'agissant du « patrimoine social ». Des approches en termes de « santé sociale » ont été développées, notamment dans le Nord-Pas-de-Calais[1] : élaborées au terme de conférences citoyennes, elles ont mis au cœur de ce qui compte la qualité et la distribution de l'emploi, les conditions de travail, les inégalités de revenus. Il serait aussi tentant d'élaborer des approches intégrant des situations plus difficiles à mesurer, telles que le niveau de civilité, l'aptitude à la paix, la résolution pacifique des conflits, ce qui permettrait d'accéder, non pas à la « qualité de vie », mais à la « qualité civique » susceptible d'être transmise d'une génération à une autre.

---

1. Voir Florence Jany-Catrice, avec Stephan Kampelmann, « L'Indicateur de bien-être économique : une application à la France », *Revue française d'économie*, juillet 2008, p. 107-148.

CHAPITRE 11

Adopter un indicateur de progrès véritable : où il est proposé de tenter de contrebalancer l'influence du PIB par l'élaboration d'un nouvel indicateur

Nous sommes désormais convaincus qu'il nous faut nous doter d'une nouvelle comptabilité, capable de mettre l'accent, non pas sur le surcroît de nouveaux biens et services produits chaque année, mais sur ce qui est essentiel pour l'inscription de nos sociétés dans la durée : les évolutions de notre patrimoine naturel et social. Il nous reste à déterminer si une comptabilité visant à garantir l'intégrité du patrimoine naturel doit plutôt braquer le projecteur sur les évolutions de ses principaux éléments constitutifs (évolutions des stocks de ressources naturelles renouvelables et non renouvelables, de la biodiversité, de la qualité de l'eau, du degré d'acidification des océans, du degré d'aridité des terres, des surfaces occupées par le désert...) ou sur les facteurs provoquant leur dégradation ou leur amélioration (les émissions de gaz à effet de serre, la pollution, le recyclage, l'agriculture extensive...). La question est la même pour l'autre composante fondamentale du patrimoine qui nous importe, le « patrimoine social » (ou la « santé sociale ») : faut-il disposer d'une comptabilité mettant en évidence les évolutions de l'accès aux biens et aux droits essentiels (emploi, logement, alimentation...), de la qualité du travail, de la répartition des revenus, ou faut-il s'intéresser aux facteurs déterminant celle-ci ?

Nous allons voir qu'il est possible de prendre en considération les deux types d'éléments. Mais auparavant, il est utile de rappeler les positions des différents protagonistes sur la question de savoir si nous avons besoin d'un seul indicateur ou de plusieurs. La principale vertu d'un indicateur unique est de nature pédagogique : commenter chaque année les évolutions d'un indicateur centré sur les évolutions de notre patrimoine naturel et social intéresserait la population. Cela permettrait de faire véritablement, et sans doute efficacement, contrepoids au PIB (cela a été le cas avec l'indicateur de développement humain, un nouvel indicateur proposé dès 1990 par le PNUD et soutenu par Amartya Sen). Cela aurait l'avantage de mettre en évidence les éléments qui, parmi les différentes dimensions prises en considération, expliquent les bonnes ou les mauvaises performances : une diminution de l'indicateur s'explique-t-elle plutôt par une dégradation du patrimoine naturel ou de la santé sociale ? Inversement, le défaut d'un indicateur unique est de constituer une moyenne entre les différentes composantes : une mauvaise performance en termes de patrimoine naturel (dégradation très forte du climat ou de la qualité de l'eau) peut donc être contrebalancée par une bonne performance en termes de santé sociale. Ce défaut peut être très fâcheux puisqu'il signifie que la disparition de parties du capital naturel peut être compensée, donc passée par pertes et profits. Cependant, nous pourrions imaginer qu'une telle compensation soit interdite, c'est-à-dire que les deux principales dimensions – naturelle et sociale – de cet indicateur synthétique soient non fongibles, et que celui-ci comporte par exemple des « cliquets » ou des seuils critiques, servant davantage à alerter (des clignotants se mettant au rouge dès lors qu'un seuil critique est dépassé) qu'à décrire. Ainsi l'indicateur global ne pourrait pas augmenter si l'une des deux dimensions diminuait d'un pourcentage considéré comme critique[1].

Parmi les très nombreux nouveaux indicateurs proposés par des universitaires ou des associations, il en existe, nous l'avons dit, qui sont purement « sociaux », d'autres purement environnementaux, et d'autres encore, qui procèdent par correction du PIB. Tobin et Nordhaus avaient ainsi proposé dès 1973 un PIB vert : il s'agissait, pour simplifier, d'ajouter au PIB la valeur monétaire d'activités contribuant au bien-être (loisir, activités bénévoles, activités domestiques...) et de retrancher de celui-ci la valeur monétaire de dépenses dites « défensives », c'est-à-dire n'augmentant pas réellement le bien-être (réparation des dégradations de l'environnement, dépenses militaires...). Outre qu'elle nécessite un consensus sur ce qui est bon ou non pour le bien-être, une telle proposition a pour inconvénient d'exiger la monétarisation de l'ensemble des activités et opérations. De surcroît, elle ne joue pas plus que le PIB le rôle

---

1. De mes très nombreuses discussions avec Jean Gadrey sur ce point, je retire qu'en effet, comme il le soutient, un tel processus supposerait de noter « zéro » tous les pays puisque aucun ne respecte à l'heure actuelle les contraintes fixées par le GIEC ou n'améliore son empreinte écologique ou sa capacité à produire avec moins d'émissions de gaz à effet de serre. Si Gadrey en tire la conclusion qu'un tel indicateur serait du coup d'une faible utilité, j'en tire pour ma part la conclusion contraire.

d'alerte lorsque des seuils physiques que nous devrions nous garder de dépasser sont franchis. Les indicateurs purement sociaux [1], eux, présentent l'inconvénient de concerner la seule dimension sociale, alors que les indicateurs purement environnementaux comme l'empreinte écologique ont le défaut contraire.

Certains indicateurs mixtes, comme celui proposé en 2002 par Lars Osberg et Andrew Sharpe, qui prend en considération les flux de consommation et de revenus, les évolutions des stocks de ressources naturelles et les inégalités, a emporté l'adhésion de nombre d'entre nous pendant plusieurs années, avant qu'il ne devienne clair, d'une part, que cet indicateur tombait lui aussi dans le piège de la substituabilité des différentes dimensions (les dégradations dans une dimension étant compensées par des améliorations dans une autre) et, d'autre part, continuait de donner une place prépondérante à la dimension revenus/consommation, qu'il ne faisait que corriger.

Nous sommes nombreux désormais à penser qu'il est préférable de laisser le PIB tel qu'il est et de ne pas tenter de le corriger, mais de développer à côté, donc concurremment, un ou plusieurs autres indicateurs aux fonctions radicalement autres : alerter lorsque des seuils critiques sont dépassés, jouer le rôle de boussole, dessiner le cadre général dans lequel les évolutions de la production s'opéreront. Un, deux ou trois indicateurs rassembleraient ainsi les règles et les contraintes essentielles au sein desquelles les opérations économiques se déroulent. Mais les avis sur le nombre d'indicateurs complémentaires ou alternatifs au PIB et sur

1. Tel que l'indice de santé sociale des Miringoff ou le BIP 40, pour plus de détails voir Jean Gadrey et Florence Jany-Catrice, *Les Nouveaux Indicateurs de richesse, op. cit.*

l'opportunité d'un unique indicateur, je l'ai dit, divergent. Ainsi, au sein du Forum pour d'autres indicateurs de richesse, les uns trouvent-ils désormais plus raisonnable de renoncer à l'élaboration d'un indicateur unique, préférant retenir deux ou trois grands indicateurs, permettant, par exemple, de suivre l'un les évolutions du patrimoine naturel, l'autre de la santé sociale. D'autres, dont je fais partie, continuent de prôner l'adoption d'un indicateur unique, à condition que des précautions soient prises sur l'éventuelle substituabilité des dimensions. Membre du FAIR mais ayant réalisé ses travaux antérieurement à la création de cette association, Jean-Marie Harribey avait proposé à la fin des années 1990 un indicateur synthétique de progrès qualitatif (IPQ) dont nous pourrions nous inspirer[1].

Harribey propose de retenir quatre indicateurs partiels composant l'indicateur synthétique IPQ : un indicateur culturel égal à la moyenne pondérée du taux d'alphabétisation des adultes ; un indicateur environnemental égal à la moyenne arithmétique du taux de préservation des ressources en eau et du coefficient de préservation vis-à-vis de l'effet de serre[2] ; un indicateur

---

1. Dans sa thèse : *Développement soutenable et réduction du temps de travail*, 1996, repris dans *L'Économie économe. Le Développement soutenable par la réduction du temps de travail*, Paris, L'Harmattan, 1997. Si je m'attarde sur cet indicateur, ce n'est pas pour en faire le modèle indépassable. Étant synthétique, il tombe dans le piège de la substituabilité, donc de la soutenabilité faible. Mais les dimensions qu'il sélectionne sont extrêmement intéressantes. C'est un tel indicateur que nous pourrions soumettre à une délibération publique éclairée.

2. Complément à 1 du coefficient d'émission de gaz à effet de serre lui-même égal au rapport des émissions annuelles par habitant dans le pays considéré et du maximum des émissions constaté dans le monde.

d'activité égal à la moyenne arithmétique de la proportion de temps libre par rapport au temps disponible total et de la part de la population active occupée ; un indicateur de cohésion sociale, égal à la moyenne arithmétique du rapport entre la part du revenu national reçue par le quintile de la population le plus pauvre et celle reçue par le quintile plus riche, et du rapport entre la part du patrimoine détenu par le quintile de la population le plus pauvre et la part détenue par le quintile plus riche. L'indicateur de progrès qualitatif est égal à la moyenne arithmétique des quatre indicateurs partiels. Comme le signale Harribey, le classement des pays issu de l'application de cet indicateur « bouleverse complètement celui auquel nous sommes habitués avec le PIB par habitant ou l'IDH. Plusieurs pays industrialisés sont ainsi sanctionnés à cause des atteintes à l'environnement, du chômage élevé, ou des fortes inégalités : c'est le cas des États-Unis relégués en bas de l'échelle ».

Adopter comme guide et boussole de nos actions publiques et privées, à côté du PIB, un indicateur de progrès qui ne se référerait plus du tout à la quantité de nouveaux biens et services produits chaque année, et dont la seule fonction serait de mesurer de quelle manière nous respectons les contraintes physiques et sociales qu'exige l'inscription de nos sociétés dans la durée, apparaît de bon sens. Le progrès ne se confondrait plus avec l'augmentation des quantités produites mais s'interpréterait comme une amélioration de la satisfaction des besoins sociaux dans le respect des objectifs fixés. Plus précisément, nous partageons l'idée fondamentale d'Harribey selon laquelle le progrès consiste à économiser les quantités de ces deux facteurs précieux et rares que sont le travail humain et les ressources naturelles, donc à satisfaire les besoins essentiels des individus en respectant au plus haut point l'activité des êtres humains et la planète.

Quant au paramétrage précis de l'indicateur de progrès, il devrait relever d'un choix collectif et être élaboré par le Parlement sur proposition d'une instance du type conférence de citoyens, dont les membres auraient travaillé avec des scientifiques appartenant à toutes les disciplines concernées. En effet, cet indicateur de progrès est censé nous donner des informations de deux types. D'une part, des données relatives aux facteurs les plus à même de dégrader notre patrimoine naturel, qui nécessitent l'éclairage de nombreuses disciplines de sciences naturelles, à la fois théoriques et empiriques, et mobilisant biologistes, climatologues, géographes, agronomes, ingénieurs. D'autre part, des données relatives aux règles de justice entre générations que nous souhaitons voir appliquées.

En ce qui concerne l'état du patrimoine naturel, l'indicateur devrait prendre en considération l'ensemble des facteurs connus susceptibles d'entraîner une dégradation des principaux biens communs mondiaux (le climat, l'eau, la biodiversité...) en intégrant comme objectifs finaux les seuils proposés par les scientifiques et discutés par les citoyens dans des forums hybrides à différents échelons locaux, régionaux, nationaux et internationaux. En ce qui concerne la santé sociale, la délibération citoyenne importe encore plus, mais devrait également mobiliser des scientifiques, issus des sciences humaines et sociales, susceptibles de faire réagir les citoyens sur les différentes conceptions de la justice en lice. Ces dernières sont en effet déterminantes. L'intégration dans l'indicateur de progrès d'un objectif de réduction d'émissions de GES suppose qu'ait été réglée la question brûlante de la répartition de la charge de la réduction des GES entre les différents pays si l'on accepte l'idée que cet indicateur, susceptible d'agrégation, devrait concerner l'ensemble de l'humanité mais est aussi individualisable par pays ou par commune.

Or, en cette matière, de nombreuses options sont possibles, comme l'ont rappelé Joan Martínez Alier[1] ou Axel Gosseries[2] : si l'humanité doit réduire ses émissions de gaz à effet de serre de 50% ou de 85% entre 2000 et 2050, sur quelle base et selon quelle répartition doit s'effectuer cette réduction ? Doit-elle être identique par tête, doit-elle prendre en considération l'histoire radicalement différente des pays – les pays développés ayant produit beaucoup plus de gaz à effet de serre et ayant pu de ce fait considérablement augmenter leur richesse ? Doit-elle faire abstraction de l'histoire ? De même, nous y faisions allusion plus haut, les différentes conceptions de la justice proposent diverses options (autorisation, obligation, interdiction) quant aux opérations d'épargne et de déśepargne auxquelles peut procéder chaque génération. Nombreux sont ceux qui aujourd'hui, au nom de la justice, considèrent que les pays les plus riches devraient consentir le plus gros effort de réduction, non seulement parce qu'ils ont historiquement produit beaucoup plus de GES que les autres, mais parce qu'ils continuent à le faire aujourd'hui.

---

1. Joan Martínez Alier, « Conflits écologiques et langages de valorisation », *Écologie et Politique*, n° 35, 2008/1, 2008.

2. Alex Gosseries, « Kyoto et les exigences de la justice climatique », *La Revue nouvelle*, novembre 2008, p. 32-42. Voir aussi, du même auteur, « Les théories de la justice intergénérationnelle. Synopsis à l'usage des durabilistes pressés », *Raison publique*, n° 8, 2008.

Adopter un tel indicateur suppose donc de donner une priorité absolue aux contraintes exprimées en termes physiques et non en termes monétaires, et de construire par rétroplanification à partir des évolutions « idéales » ou finales enregistrées dans l'indicateur les étapes d'une prospective. Ainsi, si nous adoptons comme objectifs ceux fixés par le GIEC, notre indicateur devrait pouvoir enregistrer les progrès réalisés chaque année pour les atteindre. On voit dans quelle mesure il pourra alors jouer le rôle d'alerte puisque la sous-composante GES du volet « patrimoine naturel » devrait émettre des signaux si l'objectif annuel de réduction n'a pas été atteint. Cela signifie que de véritables *quotas* d'émissions de GES par pays, département, et personne devraient pouvoir être fixés et leur dépassement sanctionné. Nous disposons pour comptabiliser les émissions de GES des bilans carbone dont l'usage systématique devrait donc être établi. Pourraient également être adoptés, comme le suggère l'indicateur d'Harribey ou celui de Jany-Catrice, des objectifs visant des taux de chômage et de pauvreté très faibles, supposant un haut niveau de redistribution de l'emploi et des revenus ainsi que des objectifs en matière de conditions de travail, de logement et d'éducation.

Car l'essentiel du travail consistera bien à décliner ces contraintes objectives en politiques concrètes. Celles-ci devront organiser la transition d'un monde où l'efficacité équivaut au productivisme et à la capacité à extraire toujours plus de valeur ajoutée des facteurs de production – travail, capital et nature – à un monde où l'efficacité consiste à produire avec moins de pression sur la nature et sur le travail. D'un monde où le progrès se compte en points de croissance de PIB à un monde où la satisfaction des besoins humains s'opère en prenant soin des « facteurs », c'est-à-dire en protégeant le travail et en assurant une juste perpétuation du patrimoine naturel.

Ce nouvel indicateur devrait devenir ce sur quoi nous devrons avoir les yeux fixés et structurer nos comportements, publics et privés. Quels sont les rapports entre la nouvelle comptabilité, qui n'est pas monétaire, et la comptabilité nationale ? On peut considérer le nouveau cadre comptable et les indications qu'il donne sur les progrès des sociétés ou de l'humanité comme l'enveloppe éthique dans laquelle la comptabilité traditionnelle devrait être encadrée. Cette nouvelle comptabilité devrait constituer le langage dans lequel seront écrits le monde souhaité de 2050 et ses déclinaisons annuelles. Mais alors, que faire de la croissance ?

CHAPITRE 12

Raisonner au-delà de la croissance :
où l'on s'interroge sur la possibilité
d'une croissance verte

Si la comptabilité traditionnelle nous envoie dans le mur, c'est parce qu'elle masque les effets négatifs de la croissance sur la cohésion sociale et surtout sur notre patrimoine naturel. Tout se passe comme si nous étions en train de scier la branche sur laquelle nous sommes assis, de dilapider le « capital » qui nous permettrait de continuer à vivre dans des conditions correctes. Une telle critique ne se limite bien sûr pas au dispositif comptable qui organise la mesure des flux de biens et services produits chaque année : elle concerne le cœur même du mécanisme – la croissance –, dont la plupart des institutions officielles s'accordaient encore il y a peu à reconnaître qu'elle est contradictoire, dans ses formes actuelles, avec la résolution de la crise climatique et plus généralement de la crise écologique : en effet, elle ne garantit pas le caractère soutenable de notre développement.

Si ces critiques sont devenues particulièrement peu audibles aujourd'hui, c'est que l'absence de croissance depuis le début de ce que l'on a coutume d'appeler « la crise » fait peser sur les pays qui en sont privés des menaces immédiates qui semblent bien plus graves qu'un éventuel et lointain changement climatique. L'absence de croissance dans des sociétés *fondées sur la croissance*, c'est-à-dire exigeant des taux de croissance positifs pour fonctionner normalement, a complètement occulté les questions écologiques de moyen et long terme au début de la décennie 2010. Les pays développés adressent *urbi et orbi* des suppliques pour que la croissance revienne, elle seule semblant à même de lutter contre l'augmentation régulière des taux de chômage, la stagnation de la demande et l'écrasement des pays sous le poids de la dette.

Et pourtant, même une institution comme l'OCDE, haut lieu d'expression de l'économie standard, a reconnu que la croissance telle que nous la connaissons « sale » ou « brune » n'est pas compatible à moyen terme avec un développement soutenable et s'est ralliée au nouveau concept de « croissance verte ». Qu'est-ce à dire ? « Une politique de croissance verte, écrivait l'OCDE en 2011, consiste à favoriser la croissance économique et le développement tout en veillant à ce que les actifs naturels continuent de fournir les ressources et les services environnementaux sur lesquels repose notre bien-être. À cette fin, elle doit catalyser l'investissement et l'innovation qui étaieront une croissance durable et créeront de nouvelles opportunités économiques. » Précisant que la croissance verte « consiste à promouvoir la croissance et le développement tout en réduisant la pollution et les émissions de gaz à effet de serre, en limitant le plus possible la production de déchets et le gaspillage des ressources naturelles, en préservant la biodiversité et en renforçant la sécurité énergétique ».

L'OCDE prône ainsi le « découplage », c'est-à-dire la possibilité de continuer à enregistrer des taux de croissance du PIB positifs avec de moindres prélèvements sur les ressources naturelles. Il s'agit de desserrer le lien entre les points de croissance obtenus et les effets sur la nature (qu'il s'agisse des émissions de GES, des prélèvements ou des pollutions). « En termes très simples, écrit le commissaire anglais au développement durable Tim Jackson dans *Prospérité sans croissance*, le découplage relatif consiste à faire plus avec moins : plus d'activité économique avec moins de dégâts environnementaux, plus de biens et services avec moins de ressources et d'émissions. Découpler signifie être plus efficaces. »

Jackson reconnaît que le découplage relatif est non seulement possible mais qu'il a bien eu lieu : « La quantité d'énergie primaire nécessaire pour produire une unité de production économique mondiale a baissé plus ou moins constamment au cours du siècle passé. L'intensité énergétique mondiale est aujourd'hui 33% plus faible qu'en 1970. » Il précise que ces gains ont été plus manifestes dans les économies avancées : « Au cours des vingt-cinq dernières années, l'intensité énergétique a décliné trois fois plus vite dans les pays de l'OCDE que dans les autres. Aujourd'hui, l'intensité énergétique des États-Unis et du Royaume-Uni est 40% plus faible qu'en 1980. » Nous aurions donc réalisé d'immenses progrès dans notre capacité à produire des flux de biens et services en dégradant moins la nature. Éloi Laurent, loin d'infirmer les allégations de Tim Jackson dans son article, « Faut-il décourager le découplage [1] ? », ne fait donc que les confirmer lorsqu'il

---

1. Laurent Éloi, « Faut-il décourager le découplage ? », in *Économie du développement soutenable*, OFCE, 2011.

rappelle que l'Europe est parvenue avec succès, ces dernières années, à assurer un découplage relatif entre PIB et émissions de GES.

Il ne remet pas non plus en cause le constat plus sombre de Tim Jackson selon lequel si le découplage relatif est bien assuré, au moins en Europe et dans certains pays de l'OCDE, le découplage absolu – celui qui est nécessaire à une diminution nette des émissions de GES – ne l'est en aucune manière. En effet, le découplage relatif ne mesure que l'utilisation de ressources (ou les émissions) par unité de production économique. « Pour que le découplage offre une échappatoire au dilemme de la croissance, écrit Jackson, l'efficacité dans l'utilisation des ressources doit augmenter au moins au même rythme que la production économique. Et pour que les impacts mondiaux liés à l'utilisation des ressources cessent d'augmenter, il faut aussi que cette efficacité continue à s'améliorer au fur et à mesure que croît l'économie. »

C'est bien là que le bât blesse. Le découplage absolu n'a pas eu lieu puisque les émissions mondiales de GES continuent à augmenter et que si l'on prend en considération l'ensemble des émissions de GES générées par la consommation (et pas seulement par la production), on est conduit à relativiser les performances des pays qui ont délocalisé leurs productions les plus « sales » et ainsi fait disparaître les émissions. De plus, l'arithmétique de la croissance montre clairement pourquoi le découplage absolu, quoique très nécessaire, constitue une gageure. Appuyée sur l'équation dite d'Ehrlich, qui considère l'impact des activités humaines comme le résultat de trois facteurs (la taille de la population, le niveau d'abondance dont bénéficie celle-ci et un facteur technologique), cette arithmétique laisse apparaître des résultats inquiétants.

D'abord, les deux premiers facteurs de l'équation ont continué à croître considérablement ces dernières années : la taille de la population mondiale a augmenté, de même que le revenu par tête. C'est donc sur le dernier facteur que pèsent toutes les attentes : il revient au progrès technologique de compenser l'augmentation de la population et du revenu par tête et, en même temps, de réduire l'intensité en carbone de la production. Or, Jackson rappelle que durant ces dernières années, l'efficacité technologique n'a même pas permis de compenser la croissance de la population et celle des revenus. Il attire l'attention sur un chiffre qui souligne l'ampleur des changements que nous allons devoir engager : pour atteindre une réduction annuelle moyenne des émissions mondiales de 4,9% avec une croissance de 0,7% de la population et une croissance des revenus de 1,4%, le facteur T, c'est-à-dire l'efficacité technologique ou encore l'efficacité permise par le progrès technologique, devrait connaître une croissance de 7% par an, soit dix fois plus qu'actuellement...

Autrement dit, le découplage absolu exige, d'une part, une considérable accélération du progrès technologique permettant de concevoir de nouvelles sources d'énergie et de nouveaux modes de production moins gourmands en ressources naturelles et plus sobres en émissions de GES et, d'autre part, la mise en place de politiques qui permettront d'éviter ce que les économistes appellent l'effet rebond : il advient lorsqu'une baisse de prix consécutive à une amélioration dans un mode de production contribue à augmenter la demande qui se porte sur celle-ci. Si « nous ne pouvons exclure totalement l'éventualité qu'une percée technologique soit imminente », écrit Jackson, et si le découplage absolu doit constituer un objectif prioritaire, nous devons de toute façon aller très vite et consacrer d'urgence des sommes considérables aux technologies susceptibles d'aboutir à une économie pauvre en carbone.

On se souvient que le rapport Stern évaluait à 1% du PIB mondial les montants qu'il aurait fallu annuellement investir dès 2006 pour espérer des gains d'efficacité susceptibles d'éviter un réchauffement climatique dramatique. Le rapport de Jackson, écrit en 2009, se prononce quant à lui plutôt pour des dépenses de l'ordre de 2 à 3% du PIB mondial par an. En 2011, le rapport du PNUE consacré à l'économie verte a consacré des analyses fouillées au calcul de l'investissement nécessaire pour atteindre les objectifs fixés en termes de GES (2% du PIB mondial) et aux « retours » susceptibles d'être obtenus. Il a présenté un scénario dans lequel, avec un investissement d'un montant de 2% du PIB mondial (pour moitié dans l'efficacité énergétique et pour moitié dans les autres secteurs), il serait possible d'offrir une croissance à long terme au moins égale à celle d'un scénario de statu quo, une réduction des émissions de GES ramenant le niveau global à celui de 1990, une augmentation de l'emploi supérieure à ce qui se serait passé dans le scénario du statu quo, et une amélioration de la situation des plus pauvres.

Le rapport du PNUE représente une importante contribution. Il donne l'ordre de grandeur des investissements nécessaires. Il tente de montrer que « la soi-disant "alternative" entre le progrès économique et la durabilité environnementale est un mythe ». Il accepte par ailleurs l'idée que la croissance pourra à court terme être moins importante que dans le scénario de référence. Mais surtout, il se donne pour objectif le découplage complet entre la croissance et l'utilisation intensive des matières premières et de l'énergie, s'attaque à la question du financement de la transition et rappelle l'ampleur des efforts à consentir pour organiser de manière sérieuse la reconversion écologique, notamment en ce qui concerne les travailleurs qui devront pouvoir passer en toute sécurité des secteurs en déclin aux secteurs d'avenir.

Ces rapports, et plus généralement les scénarios qui font montre d'une confiance absolue dans la capacité du progrès technologique à nous tirer d'affaire, présentent néanmoins plusieurs limites. La première consiste précisément dans le caractère extrêmement risqué d'un tel pari. Croire que nous serons capables d'opérer dans les vingt prochaines années un saut quantitatif et qualitatif majeur, qui nous permettra de faire face à un réchauffement climatique dont les conséquences ne sont pas toutes imaginables, apparaît irrationnel, et pour tout dire, enfantin. Il s'agit d'une forme de pari pascalien dont il semble que nous devrions nous passer. Comme l'indique Jackson, nous ne voyons actuellement aucun signe d'une telle révolution, ni d'une percée technologique majeure. Et cela d'autant moins que nous n'avons en aucune manière commencé à investir les sommes dont on nous dit qu'elles sont absolument nécessaires à un tel sursaut.

La deuxième limite concerne le type d'économie capable de consentir chaque année un investissement de 2 à 3% du PIB mondial : Jackson souligne combien un tel effort serait imposant et éloignerait nos économies de leur fonctionnement traditionnel. Ces estimations, indique-t-il, « sont d'un même ordre de grandeur que ce qui distingue une économie en croissance d'une économie en stagnation. Donc si les coûts représentaient réellement une baisse annuelle de 2 à 3% du PIB, ils feraient en substance disparaître la croissance[1] ». En résumé, précise-t-il, il n'existe pas d'indications fiables relatives à l'impact que peuvent avoir des investissements écologiques massifs sur la croissance du PIB dans les économies avancées.

Enfin, les deux rapports cités se fondent sur de véritables postulats. La nécessité absolue de la croissance en est un. Le message du secrétaire général de l'OCDE en préface au rapport de cette institution consacrée à la croissance verte traduit le caractère absolument non négociable du niveau de vie des générations actuelles : nos sociétés doivent désormais, écrit-il, « concevoir de nouveaux moyens d'assurer pour les années à venir la croissance et le progrès que nous en sommes venus à considérer comme allant de soi ». Continuant ainsi : « Une politique de croissance verte consiste à favoriser la croissance économique et le développement tout en veillant à ce que les actifs naturels continuent de fournir les ressources et les services environnementaux sur lesquels repose notre bien-être ». Loin d'être considérée comme un patrimoine à respecter et à n'utiliser qu'avec le plus grand soin, la nature apparaît dans ce rapport comme un simple capital, une matière première de la production qui seule importe. C'est une conception faible de la soutenabilité qui guide les auteurs : l'objectif exclusif est de garantir le flux d'utilités fourni par la nature, peu importe que celle-ci disparaisse.

---

1. *Prospérité sans croissance, op. cit.*, p. 92.

Quant au rapport du PNUE, il se fonde, à l'instar du rapport précédent, sur la nouvelle conception de la richesse développée par la Banque mondiale, comme le précise l'encadré 7 de la Synthèse à destination des décideurs, intitulé : *Comptabilité conforme à la théorie de la « richesse inclusive »*. Cet encadré précise que « les variations de stocks peuvent être évaluées en termes monétaires et incorporées dans les comptes nationaux conformément aux objectifs de la Division Statistique des Nations Unies [...] et de la Banque mondiale à travers la méthode de l'épargne nette ajustée nationale ». Une telle prise de position fragilise considérablement l'ensemble du rapport puisque l'on a vu que cela équivalait à choisir une conception faible de la soutenabilité. Par ailleurs, donner un prix aux éléments de la Nature, de manière à rendre visible leur « valeur » et donc à augmenter leur coût, oblige à créer des marchés fictifs et fait courir le risque d'une marchandisation totale de la Nature.

Dans le même ordre d'idées, le rapport indique que « les négociations commerciales du cycle de Doha, sous l'égide de l'Organisation mondiale du commerce, offrent l'opportunité de promouvoir une économie verte », ajoutant qu'« il existe une autre opportunité par rapport aux négociations visant à réduire les barrières tarifaires et non tarifaires sur les biens et services environnementaux. Une étude de la Banque mondiale estime que la libéralisation du commerce pourrait entraîner une augmentation de 7 à 13% du volume d'échanges de ces produits ». Tout se passe donc comme si l'obtention des avantages listés par le rapport était conditionnée par un accroissement de la marchandisation, notamment de la nature. Pour beaucoup, une option éthique inenvisageable.

Mais surtout, il semble bien que malgré tous ces efforts, la réduction des émissions de GES resterait encore insuffisante pour garantir l'atteinte des objectifs fixés.

CHAPITRE 13

Engager une véritable (re)conversion :
où il est montré que nous devons
désormais engager une rupture radicale
avec notre actuel mode de développement
et avec les prétentions de l'économie

Il faut bien nous rendre à l'évidence : même si nous parvenions à effectuer un saut technologique majeur, même si nous consentions des investissements très lourds dans le développement des énergies renouvelables et dans les mesures permettant de diminuer drastiquement notre dépendance aux énergies fossiles (comme l'isolation thermique des bâtiments ou le développement massif de modes « doux » de transports en commun), cela ne suffirait pas à réduire en quantité suffisante ni à temps nos émissions de gaz à effet de serre. C'est en effet une véritable course de vitesse qui est engagée. Pour l'instant, nous n'osons pas regarder la réalité en face car nous sommes tétanisés, notamment en Europe et aux États-Unis, par la violence de la crise économique et sociale qui s'est abattue sur nous et dont nous aggravons les effets par des politiques d'austérité et de flexibilisation du marché du travail radicalement inadaptées.

On l'a dit, dans des sociétés fondées sur la croissance – habituées depuis la fin du XVIIᵉ siècle et plus encore depuis le milieu du XXe siècle à des taux de croissance positifs qui permettent d'éviter de trop réfléchir aux questions de redistribution et d'efficacité écologique – le défaut de croissance est fatal. Nos sociétés sont structurées par la croissance, construites autour d'elle, idéologiquement et fonctionnellement comme nous l'avons vu dans les premiers chapitres de cet ouvrage et comme le précise Jackson : « L'économie moderne est structurellement dépendante de la croissance économique pour sa stabilité. Quand la croissance chancelle [...] les politiciens paniquent. Les entreprises luttent pour leur survie. Les gens perdent leur emploi et parfois leur maison. La spirale de la récession menace. La remise en question de la croissance est vue comme le fait de fous, d'idéalistes et de révolutionnaires. » L'économiste recourt à la métaphore du vélo : dans les sociétés dopées à la croissance, stopper celle-ci, c'est comme pour un cycliste arrêter de pédaler. C'est la chute assurée. La seule solution, à court terme, pour des sociétés fondées sur la croissance, c'est de retrouver un peu de celle-ci, à tout prix. Ou de reconsidérer radicalement leur fonctionnement.

C'est une telle remise en cause qu'un certain nombre d'auteurs considèrent désormais comme inévitable. Principalement, nous l'avons vu, parce que envisager des taux de croissance de 2% ou 3% dans les pays développés et de 5 ou 6% ailleurs, et une convergence mondiale sur les standards de l'Europe, équivaudrait à augmenter considérablement la taille de l'économie et à rendre l'atteinte des objectifs de réduction des GES encore plus difficile. « Si nous voulons, écrit Jackson, que les neuf milliards d'habitants de ce monde jouissent d'un revenu comparable à celui des citoyens de l'UE aujourd'hui, la taille de l'économie devrait être multipliée par six entre aujourd'hui et 2050 avec des revenus croissant à un rythme annuel de 3,6%. Atteindre l'objectif du GIEC en matière d'émissions dans un tel monde signifierait abaisser l'intensité en carbone de la production économique de 9% chaque année durant les quarante prochaines années. Et ce scénario ne tient toujours pas compte d'une croissance des revenus dans les pays développés ».

Un tel volume de l'économie ne semble pas compatible avec les objectifs que nous nous sommes fixés en matière d'émissions de GES, de biodiversité, de préservation des ressources renouvelables et non renouvelables. Sauf à considérer un épisode de progrès technologique majeur, dont nous avons dit qu'il pouvait se produire, mais certainement pas dans le temps très court qui nous est imparti. C'est au même genre de conclusion que parvient Michel Husson qui, dans une courte note [1], rapporte simplement le taux d'émissions de GES attendu au taux de croissance du PIB, en considérant deux hypothèses de baisse de l'intensité en CO_2 (l'une du même niveau que celle constatée les quarante dernières années, soit une baisse de 1,5% par an, l'autre plus ambitieuse, de 3% par an) et conclut que « la réalisation des objectifs du GIEC est incompatible à des degrés divers avec la poursuite de la croissance [...] Dans le scénario le plus exigeant en matière de réduction d'émissions (– 85%) et sans accélération de la tendance à la baisse de l'intensité de CO_2, il faudrait que le PIB mondial baisse de 3,3% par an, soit de 77% entre 2007 et 2050 ! Le scénario avec un objectif de réduction de 50% et baisse accélérée de l'intensité de

---

1. Michel Husson, *Croissance sans CO₂ ?*, Hussonet, n° 24, octobre 2010.

CO_2 est compatible avec une croissance positive du PIB mondial de 0,9%, mais celle-ci est largement inférieure à la tendance observée sur les dernières décennies. »

CROISSANCE DU PIB COMPATIBLE
AVEC LA RÉDUCTION DES ÉMISSIONS

Baisse de l'intensité de CO_2	Objectif de réduction d'émissions	
	− 50% (− 2,1% par an)	− 85% (4,8% par an)
− 1,5% par an	− 0,6%	− 3,3%
− 3,0% par an	+ 0,9%	− 1,8%

Source : Michel Husson, Croissance sans CO_2, octobre 2010,
d'après les travaux du GIEC

Il nous faut donc aller plus loin. Mais qu'est-ce à dire ? Que l'objectif minimal de réduction de 50% des émissions de GES d'ici 2050 est inaccessible sans une réduction drastique de la taille de nos économies (selon le concept hérité d'Herman Daly). La consommation devra être d'autant plus réduite qu'il nous faudra consentir des investissements massifs dans la reconversion de l'économie. Tim Jackson suggère une division des PIB des sociétés occidentales par quatre. Jean-Marc Jancovici soutient que même si nous réalisons tout ce que les rapports internationaux nous suggèrent et si nous développons (encore plus...) l'énergie nucléaire qu'à l'heure actuelle, il nous faudra radicalement réduire nos consommations. Gadrey et Coutrot[1] précisent, eux, qu'une dématérialisation de l'économie suffisante pour atteindre les objectifs mondiaux de réduction des GES est inenvisageable.

---

1. Thomas Coutrot, Jean Gadrey, « La croissance verte en question », ETUI Policy Brief, n° 3, 2012.

Ces auteurs ont un point commun : ils doutent fondamentalement de la capacité des modèles économiques à représenter correctement les contraintes physiques dans lesquelles nous sommes engagés, et plus généralement à accepter l'inscription de l'économie dans une réalité physique plus large (la biosphère) et sa subordination à celle-ci. Les économistes ont tendance à raisonner en système clos, comme si leur modèle était susceptible d'englober toutes les réalités, alors que l'économie n'est à même que de décrire une toute petite partie du monde. Les raisonnements qu'elle mobilise (la fameuse loi de l'offre et de la demande, la règle de Hotelling, l'ensemble des relations qui apparaissent comme des lois naturelles) ne valent que pour un petit canton de la réalité, dans des conditions données. Réinscrire les raisonnements économiques dans les réalités physiques, subordonner à nouveau la science économique à ces dernières et la remettre à sa place est donc un préalable.

Mais le problème du langage, du modèle, de la représentation susceptible de donner les indications les plus précises sur les évolutions respectives des flux physiques et des réalités monétaires, reste entier. Comment faire dialoguer des sciences aux postulats aussi différents que l'économie et la physique ? Comment faire tenir ensemble des modèles macro-économiques raisonnant en termes monétaires sur des quantités de biens et de services produits, et des modèles physiques, comme l'étaient ceux des Meadows, mettant en évidence la façon dont des réalités biologiques, physiques et chimiques évoluent, sans aucun recours à la monnaie ? Comment mettre en œuvre les recommandations de Tim Jackson suggérant de construire de nouveaux modèles macro-économiques susceptibles de prendre en considération les flux de matière ?

En s'appuyant sur des travaux de l'économiste Peter Victor, Tim Jackson propose que nos sociétés continuent de poursuivre leur objectif traditionnel, la prospérité, mais soutient que celui-ci est accessible sans croissance. Il suggère de viser ce qui ressemble à l'état stationnaire de Stuart Mill, au moins pour les pays développés, c'est-à-dire un très fort ralentissement de la croissance, qui constituerait un choc majeur, exigeant d'être accommodé par des politiques spécifiques, notamment en matière de temps de travail. Une forte réduction du temps de travail apparaît pour cet auteur, comme pour Michel Husson, Thomas Coutrot, Juliet Schor ou certain des chercheurs rassemblés autour d'Isabelle Cassiers et de son ouvrage *Redéfinir la prospérité*, comme la solution pour éviter que le ralentissement de la croissance ne s'accompagne d'un chômage de masse. Le cœur du raisonnement de Jackson, et des autres auteurs cités, consiste à rappeler que la consommation de quantités de biens et services toujours plus nombreux n'est plus synonyme de prospérité ni de bonheur et qu'il nous faut désormais tirer toutes les conséquences du relâchement du lien entre augmentation des quantités consommées et bien-être, comme le confirment les enquêtes qui mettent en évidence qu'au-dessus de 15 000 dollars de revenus annuels, la progression du revenu ne s'accompagne plus d'une augmentation de la satisfaction.

Énumérant les trois conceptions de la prospérité : la prospérité comme *opulence*, comme *utilité* et comme *capabilités d'épanouissement*, Jackson arbitre clairement en faveur de cette dernière, soutenant qu'elle seule est susceptible de répondre aux défis auxquels nous sommes confrontés. Adopter cette vision, c'est accepter une reconversion radicale de nos économies et énoncer un message optimiste : oui, il nous faut aujourd'hui renoncer à la croissance ; non cela ne conduit pas à renoncer à la prospérité, bien au contraire. Signalons que cette reconversion radicale, dont Jackson indique qu'elle pourrait ne durer que le temps nécessaire au règlement de la question du changement climatique, suppose une redistribution massive des pays développés vers les pays émergents et en voie de développement, mais aussi au sein des économies développées elles-mêmes. Elle implique aussi un arbitrage décisif en défaveur de la consommation et en faveur de l'investissement.

S'il partage avec Jackson la méfiance à l'égard des prétentions de l'économie et l'idée que nous devons rompre avec la croissance, Gadrey propose en revanche, dans *Adieu à la croissance,* une vision plus qualitative des évolutions que nous devrions engager. Peu importe la question de savoir si nous sommes pour ou contre la croissance, pour la croissance ou pour la décroissance. Ce qui importe, ce sont les contraintes physiques que nous devons désormais respecter, et la distinction entre les secteurs et les types de production que nous devons faire croître et ceux que nous devons faire décroître. La transformation de notre économie en une économie postcarbone ne s'opérera pas par un coup de baguette magique, en dématérialisant nos productions, mais en développant l'agriculture biologique, en reconsidérant nos manières de construire et de bouger, en donnant la priorité dans chaque opération à l'obtention de gains de qualité et de durabilité plutôt qu'aux gains de productivité et de points de PIB.

Dans le modèle qu'ils ont soumis récemment à la discussion lors du premier Congrès interdisciplinaire du développement durable organisé à Namur en janvier 2013 [1], Georges Bastin et Isabelle Cassiers proposent de mobiliser la théorie néoclassique et de considérer, dans la lignée des travaux des Meadows et de Victor, trois scénarios de développement de l'économie représentée par une fonction de Cobb-Douglas : un scénario *business as usual* ; un scénario « croissance verte » impliquant un fort investissement public et privé dans les technologies vertes ; et un scénario « croissance lente » visant à développer des activités dans les secteurs à très faible intensité en GES, conduisant à de faibles gains de productivité et un changement structurel. Pour ce faire, les auteurs considèrent une économie à deux secteurs, l'un, traditionnel, l'autre, caractérisé par une très faible intensité de CO_2 et une productivité constante faible. Ils mettent en évidence que si le premier scénario conduit à un niveau insupportable d'émissions de GES à la fin du siècle, le scénario « croissance verte » permet d'atteindre les objectifs fixés par le GIEC en soixante années sous des conditions très strictes (investir 8% du PIB et opérer un véritable saut en matière de progrès technologique). Dans l'option « croissance lente », le même objectif est atteint mais sans nécessiter le détour par la foi dans le progrès technologique qu'exige le scénario « croissance verte » et au prix d'un basculement progressif du premier secteur vers le second secteur, lequel passerait de 0% à 55% de la composition totale du PIB. Seul ce dernier scénario, fondé sur l'obtention de faibles gains de productivité dans une très grande partie de l'économie, semble donc viable.

Comment articuler ces deux visions, celle du monde en 2050, un monde « idéal » qui serait parvenu à sta-

---

1. Téléchargeable sur http://www.congrestransitiondurable.org.

biliser puis réduire les émissions de GES et donc à conjurer les menaces, un monde écrit en termes physiques, biologiques et chimiques, et celle de notre monde actuel, où les aspirations s'expriment en termes de points de croissance ? Comment réconcilier ces deux visions, ces deux représentations écrites dans des langages différents ? Quelles passerelles jeter entre la situation recherchée, « idéale », « exigée », exprimée en langage physique, et la situation actuelle, dans laquelle nous disposons, pour diriger nos actions collectives, d'un indicateur présentant les variations de la production et du revenu correspondant exprimées en unités monétaires ? Comment l'indicateur de progrès est-il susceptible d'encadrer les évolutions du PIB, de régir la production, de l'orienter et plus précisément, que devient dans un tel cadre, éthiquement réglé, la croissance du PIB ?

La croissance du PIB n'est plus l'objectif prioritaire recherché. La priorité est devenue la satisfaction des besoins humains essentiels sous la contrainte de la prise en considération de la nature et de la cohésion sociale. La croissance du PIB est désormais dépendante de notre capacité collective à atteindre les objectifs fixés par l'indicateur de progrès, c'est-à-dire à produire des biens et des services de la manière la plus efficace possible. Mais l'efficacité a désormais un autre sens : il ne s'agit plus de maximiser la production mais de l'obtenir en minimisant les prélèvements bruts sur les ressources non renouvelables et la biodiversité, en respectant les limites fixées en matière d'émissions de GES et autres polluants, en dégradant au minimum les sols et la qualité de l'air et de l'eau. Il s'agit aussi de faire en sorte que l'usage de ce qui était représenté comme « facteur travail » ou « ressource humaine » soit encadré dans des règles, de manière à ce que la qualité du travail et celle de l'emploi soient toujours prises en compte dans le processus de production.

Une telle vision permet de réconcilier ceux qui croient et ceux qui ne croient pas dans la capacité du progrès technique à tirer l'humanité d'affaire. Et le réencastrement de la croissance du PIB dans ces contraintes permet de mettre tout le monde d'accord : si nous parvenons à produire une quantité de biens et de services toujours plus grande à l'intérieur des limites fixées, cela signifie que nous aurons réussi la révolution consistant à dématérialiser notre production et à la rendre de plus en plus indépendante des flux matériels. Si nous n'y parvenons pas, cela signifiera que nous devrons, ou bien encore augmenter le rythme du progrès technique et trouver des dispositifs encore plus puissants de dématérialisation, ou bien renoncer à l'ambition d'augmenter sans relâche la quantité de biens et de services produits. Adopter l'indicateur de progrès véritable comme indicateur de référence permet de ne pas se prononcer sur le caractère « bon » ou « mauvais » en soi de la croissance du PIB. Cela permet, en un mot, d'en finir avec la dictature de la croissance et de substituer à celle-ci, comme objectif central de nos sociétés, la satisfaction des besoins sociaux dans le respect du patrimoine naturel et de la cohésion sociale.

METTRE EN ŒUVRE

CHAPITRE 14

Édicter des règles du bon usage de la nature :
où il est montré que l'objectif ne consiste plus
à maximiser la production mais à l'enserrer
dans des critères éthiques

Transmettre aux générations futures un monde en
bon état de fonctionnement, qui permette le développement de conditions de vie authentiquement
humaines, nécessite que nous prêtions attention à
l'intégrité de ce que nous transmettons et que nous
édictions (et respections) des règles d'usage de la
nature. Pourquoi la plupart des institutions internationales véhiculent-elles un type d'approche qui fait uniquement confiance aux prix et à la valorisation
monétaire des éléments du patrimoine naturel pour
réguler son usage ? Il semble bien y avoir derrière cette
position un postulat : la gestion des ressources naturelles s'opérerait de manière infiniment plus efficace si
ces dernières, au lieu de n'appartenir à personne, appar-
tenaient à quelqu'un, un propriétaire privé auquel
incomberait la charge d'en prendre soin. Où l'on
retrouve l'idée développée par Garrett Hardin[1] dans
La Tragédie des Communs et sa démonstration maintes

---

1. Garrett Hardin, « The Tragedy of the Commons », *Science*,
vol. 162, n° 3859, 13 décembre 1968, p. 1243-1248.

fois critiquée – que ce qui appartient à tout le monde est considéré comme n'appartenant à personne, ce qui conduirait *de facto* à l'inefficacité dans la gestion du bien.

On sait qu'Elinor Ostrom[1] a montré au contraire qu'une gestion collective des ressources communes, à partir du moment où elle respecte des règles collectives d'usage, peut garantir une utilisation efficace des ressources au moins aussi bien que la propriété privée, dès lors que les gestionnaires ont intégré le long terme dans leurs comportements. Il faut parvenir à ce que la ressource génère une production, un revenu, une utilité, sans que sa capacité à le faire à long terme ou son existence ne soient remises en cause. La pluralité des individus composant la communauté gestionnaire de ces patrimoines garantit que le souci exclusif du court terme ne sera pas prédominant, comme si la communauté était capable de constituer un garde-fou contre l'*hybris* individuelle.

La question du type de gestion de ce qui n'appartient à personne mais est essentiel pour le bien-être de tous et doit faire l'objet d'un soin constant est centrale. Ce soin, ce souci pour ce que les économistes appellent les « facteurs de production », sera-t-il mieux assuré par un propriétaire privé, par un organe public, ou par une communauté ? Mais avons-nous même le droit de poser cette question ? Elle suppose que nous avons répondu positivement à la question préjudicielle : savoir si ce qui n'appartient à personne mais est nécessaire à tous peut faire l'objet d'une appropriation pri-

---

1. Elinor Ostrom, *Governing the Commons : The Evolution of Institutions for Collective Action*, Cambridge, Cambridge University Press, 1990.

vée. Un particulier aurait-il le droit de détourner les rayons du soleil pour vendre à ses congénères les services innombrables que rend celui-ci ? Dans quelle mesure la démonstration de Locke, induisant de la résidence et du travail le droit du premier occupant et de la propriété privée, était-elle pertinente ? Rousseau n'avait-il pas raison de voir dans le premier homme qui enclôt un pré et dit « cela est à moi » le début de la catastrophe ?

La question de l'appropriation privée des biens communs ne peut pas être résolue au moyen des seuls critères économiques : qu'est-ce qui sera le plus efficace, c'est-à-dire, qu'est-ce qui permettra d'obtenir la plus grosse production possible ? Car contrairement à une lecture économique qui rend homogènes les différentes sortes de biens, qui voit dans l'appropriation privée et l'échange par les prix la plus haute forme de rationalité, et qui n'appelle biens publics que ceux qui révèlent une défaillance du marché, d'autres interprétations, non nécessairement économiques, sont tout aussi légitimes. Elles n'envisagent pas la maximisation de la production comme le critère définitif à l'aune duquel juger de la pertinence des actions humaines. Elles considèrent la nature et l'être humain comme des valeurs – autres qu'économiques – qui exigent un soin particulier et des règles d'usage précises.

La manière dont des règles d'usage du travail humain ont été mises en œuvre peut-elle servir de modèle pour la détermination des règles d'usage concernant la Nature ? Il a fallu plus d'un siècle, en France, pour que s'impose l'idée que le contrat de louage d'ouvrage, lorsqu'il concernait des personnes, devait respecter des règles d'usage et ne mettait pas en relation un propriétaire et sa chose. On se souvient des résistances farouches que suscitèrent le rapport consacré par Louis-René Villermé, en 1840[1], à la description des ravages provoqués par le développement des manufactures, ou les dénonciations du travail-marchandise par Eugène Buret. Écoutons ce dernier condamner, un siècle avant Polanyi, la manière dont l'économie politique considère le travail : « Suivant cette théorie, le travail est considéré comme une chose et l'économiste, qui étudie les variations de l'offre et de la demande, oublie que la vie, la santé et la moralité de plusieurs millions d'hommes sont engagées dans la question. Le travail est une marchandise... » Ni Villermé ni Buret n'y pourront pourtant rien (ou presque) : aux propositions pourtant bien peu révolutionnaires de Villermé proposant de limiter le temps de travail des enfants, sera précisément opposée l'idée que le lieu de travail est un lieu privé, à l'instar de la convention qui lie l'employeur et son ouvrier. Il n'est à l'époque pas question que l'État intervienne dans la relation privée qui existe entre l'ouvrier et son patron.

Le règlement de la question sociale s'est opéré, au long des XIXe et XXe siècle, non pas par la remise en cause de la possible « vente » de la force de travail des futurs salariés, ce que souhaitaient Buret ou Marx, mais par un réaménagement complet de la relation liant l'employeur et le salarié, et par la définition de règles supérieures encadrant la relation de travail, grâce au développement d'un droit particulier : le droit du travail. L'intervention de l'État au cœur de la relation de travail et l'institution de normes supérieures encadrant le contrat de travail ont consisté à mettre en œuvre

---

1. *Le Tableau de l'état physique et moral des ouvriers employés dans les manufactures de coton, de laine et de soie.*

des règles collectives d'usage du travail humain visant à éviter que celui-ci ne soit traité comme une simple marchandise.

Cet encadrement du contrat par des règles a consacré la sortie du travail du Code civil et le développement du droit du travail, puis de la protection sociale, et il a permis de stabiliser le travail en mettant en place des institutions ayant pour objet de financer les interruptions de travail, donc de revenu, dues à la maladie, à la vieillesse, aux accidents du travail, au chômage, à la naissance d'enfants. Le travail lui-même, pourtant fragile, est ainsi devenu le fondement de la sécurité[1]. Droit du travail et droit de la protection sociale ont donc convergé, au XXᵉ siècle, pour entourer de règles l'exercice du travail, l'arracher à la sphère privée, au face-à-face entre patron et ouvrier et permettre à l'ensemble de la société, par l'intermédiaire de ses représentants, de déterminer les principales règles de son usage. Cette sécurité sera confortée dans les années 1950 à 1980 lors du développement du régime salarial, avec la reconnaissance de droits qui détacheront de plus en plus l'obtention d'un revenu et de garanties des caractéristiques de la prestation de travail elle-même. Comme l'a explicité Esping Andersen[2], avec la protection sociale, on organise la démarchandisation du travail,

---

1. Comme l'ont montré Henri Hatzfeld dans *Paupérisme et sécurité sociale*, Nancy, Presses universitaires de Nancy, 1989, Robert Castel, *Métamorphoses de la question sociale*, Paris, Fayard, 1995 ; Alain Supiot, *Critique du droit du travail*, Paris, PUF, 1995 ; et Évelyne Serverin et Dominique Méda (dir.), *Le Contrat de travail*, Paris, La Découverte, coll. « Repères », 2007.

2. Gösta Esping-Andersen, *Les Trois Mondes de l'État-Providence. Essai sur le capitalisme moderne*, Paris, PUF, coll. « Le lien social », 1999.

on permet au travailleur de ne pas être exclusivement une marchandise, on rend sa dépendance au marché moins étroite. Ces normes du travail ont trouvé une extension internationale avec la création du BIT en 1919, puis la Déclaration de Philadelphie en 1944 : il s'agissait de faire en sorte que ces normes soient respectées dans le monde entier et que se développent les règles internationales d'usage du travail.

La véritable conversion qu'ont représentée l'encadrement de la relation employeur-salarié, l'intervention de l'État dans cette relation et le fait qu'elle soit devenue une affaire publique régie par des règles publiques, est à l'évidence un modèle pour la détermination des règles d'usage de la nature. Dans les deux cas, il nous faut parvenir à organiser la « démarchandisation » du travail ou de la nature et repenser radicalement leur statut en entourant leur gestion de règles publiques d'usage.

Certes, cette démarchandisation et cette publicisation restent, pour ce qui concerne le travail, inachevées, exactement pour les mêmes raisons que celles qu'invoquait Jaurès en 1893 : « Vous avez fait la République, mais, par là, vous avez institué entre l'ordre politique et économique de notre pays une véritable contradiction. Dans l'ordre politique, la Nation est souveraine [...] Vous avez fait de tous les citoyens, y compris les salariés, une assemblée de rois [...] mais au moment où le salarié est souverain dans l'ordre politique, il est dans l'ordre économique réduit à une sorte de servage. Et à tout moment, ce roi dans l'ordre politique peut être jeté à la rue. » Comme l'a montré Isabelle Ferreras[1], politiser le travail, rendre collective la

---

1. Isabelle Ferreras, *Critique politique du travail*, Paris, Presses de Sciences-Po, 2007, et *Gouverner le capitalisme*, Paris, PUF, 2012.

question des règles qui le régissent et répondre à l'aspiration de justice et de démocratie des travailleurs sur leur lieu de travail : tout cela doit conduire à la révision des principes sur lesquels est actuellement fondée l'entreprise. Ferreras appelle de ses vœux le bicaméralisme, c'est-à-dire l'exercice du pouvoir de gestion par une représentation de l'ensemble des parties prenantes, de l'ensemble de la communauté, renouant ainsi avec les intuitions de certains juristes français ou allemands [1].

Quels enseignements tirer de l'histoire de la question sociale au XIXe siècle ? Le règlement de celle-ci, qui a mis plus d'un siècle à entrer réellement en vigueur en France, a exigé de surmonter les résistances de tous ceux qui ne pouvaient que perdre à cette aventure. Il aura fallu l'alliance des mouvements ouvriers, d'une fraction du patronat, de hauts fonctionnaires et de médecins soucieux d'hygiénisme, du lobby militaire, d'hommes politiques et de théoriciens, parmi lesquels Émile Durkheim et Léon Bourgeois, la convergence du mouvement social, de l'action de partis politiques, de syndicats et des sciences sociales, notamment la médecine et la sociologie et, finalement, une guerre. Il aura fallu une volonté acharnée de démonstration des dégâts infligés au corps et à la santé des travailleurs, une reconceptualisation du lieu de travail comme lieu public, l'invention d'un droit particulier, la reconnaissance de l'obligation comme principe de protection et la légitimation de l'intervention de l'État.

---

1. Par exemple en Allemagne, le juriste Otto von Gierke, ou en France, les juristes Paul Durand, Léon Duguit, Maurice Hauriou. Sur ces questions, voir G. H. Camerlynck, *Le Contrat de travail*, Paris, Dalloz, 1982, et Alain Supiot, *Critique du droit du travail*, Paris, PUF, 1994.

Il aura fallu un combat pied à pied avec tous ceux qui opposaient à la protection des corps la priorité donnée à la production et interprétaient les soins destinés à protéger les travailleurs comme autant de dépenses supplémentaires, de coûts et de rigidités qui risquaient d'entraîner le pays à la ruine. Il aura fallu lutter contre ceux qui voyaient dans l'intervention de l'État ou de la collectivité une insupportable remise en cause de la liberté et de la vigueur de l'individu. Il aura fallu aussi la diffusion des découvertes de Pasteur mettant en évidence l'interdépendance entre les membres de la communauté et l'obligation de la protection de tous les membres comme condition de la protection générale. Il aura donc fallu réaffirmer – ce fut la tâche des sociologues – la dimension essentiellement collective de nos sociétés et l'intégration profonde des individus dans celles-ci.

Il nous faut aujourd'hui poursuivre la même tâche théorique et pratique, exigeant la conjonction de révolutions conceptuelles et de luttes concrètes, pour engager le processus de démarchandisation, de déprivatisation et de réencastrement de la nature dans des communautés susceptibles de mettre en œuvre les règles d'usage édictées par la collectivité. La question majeure est de savoir qui est cette communauté : communauté formée par l'humanité tout entière, non encore constituée comme Sujet mais ayant hérité de la Terre de manière indivise et ayant à la gérer en usufruitier dont la préoccupation principale serait d'en prendre soin ? Communautés nationales ou locales, assurant la gestion précautionneuse des biens qui ne lui appartiennent pas mais qu'elles doivent avoir à cœur de conserver ? Ce sont ces règles d'usage et les modalités diversifiées de gestion des biens communs qu'il nous faut aujourd'hui définir aux différentes échelles internationales, nationales et locales.

Deux points différencient néanmoins le processus de règlement des deux questions. Le premier concerne les « groupements d'intérêt » supports d'une réorganisation : le début de règlement de la question sociale au XIXᵉ et au XXᵉ siècle a bénéficié de la coalition de plusieurs forces, notamment du ralliement d'une partie du patronat. Celui-ci avait besoin d'une main-d'œuvre stable pour assurer une production régulière, de masse et de qualité, ce que la protection sociale et le contrat à durée indéterminée permettaient d'assurer. Quant à la crise écologique, on peut se demander quelle est la communauté dont elle lèse l'intérêt ? La communauté des générations futures n'est pas encore constituée et l'humanité n'est pas une communauté consciente et dotée d'une organisation susceptible de prendre des décisions en son nom. Peut-on trouver l'équivalent de la coalition d'intérêts porteuse du règlement de la question sociale au XIXᵉ aujourd'hui pour engager le règlement de la question écologique ?

Le deuxième point concerne les échelles spatiales : la question sociale a pu amorcer son règlement, dans un certain nombre de pays, à partir du moment où les gouvernements ont légiféré et où la nécessité de définir des règles d'usage du travail s'est imposée. Mais la définition de règles nationales a contribué à repousser le travail indécent dans d'autres pays, où ces législations n'existaient pas. Il en va de même avec l'environnement puisque les délocalisations touchent tout autant les productions indécentes en matière de conditions de travail que celles qui le sont en matière de pollution, d'émissions de GES, de développement de processus nuisibles à la santé humaine. Le traitement de la question sociale ne s'est développé que dans certains pays : aller plus loin nécessite, comme en matière d'environnement, des normes internationales susceptibles d'une application universelle. Contrairement à la question sociale pour laquelle chaque pays peut se considérer quitte à partir du moment où la production nationale a respecté les règles en vigueur, les délocalisations des productions néfastes pour l'environnement vers des pays moins réglementés ne règlent rien : toute production indécente, dans n'importe quel coin du monde, augmente mécaniquement le problème global de l'humanité. Une telle interdépendance entre les pays rend d'autant plus nécessaire le respect par chacun d'entre eux de règles strictes organisant la production et la consommation conformément aux équilibres naturels et humains.

Ce que notre indicateur de progrès doit donc organiser, ce sont les règles du bon usage de la force de travail et de la nature, de manière à ce que la production soit désormais enserrée, comme l'économie qui s'en veut la science, dans des critères éthiques : la production sera alors conçue comme un acte ne pouvant pas s'opérer de n'importe quelle manière, plus sanctifié à tout coup, mais un acte considéré comme apportant un bien, un plus, sous certaines conditions : dans la seule mesure où il s'opère en respectant certaines règles, notamment en prenant soin de la nature dans laquelle il intervient, en n'usant pas prématurément le travailleur qui offre sa force de travail, en contribuant à garantir la cohésion sociale. De cette « moralisation » de la production, nous pouvons déduire les politiques qu'il nous faudra mettre en place. Du moins pouvons-nous tenter d'imaginer ce que l'application de nos critères semble devoir nous inviter à mettre en place.

CHAPITRE 15

Concilier résolution de la question écologique et résolution de la question sociale : où l'on revient sur la possibilité de constituer une cause commune

Depuis quelques années, la question sociale a pris une telle ampleur (explosion du chômage, de la précarité de l'emploi, des bas salaires...) qu'elle constitue plutôt un obstacle à la résolution de la question écologique. Au début de la crise économique et financière, en 2008, les gouvernements semblaient pourtant tentés de résoudre conjointement les deux crises. C'est le moment où des plans de relance verts ont été élaborés, où une grande attention a été apportée au pourcentage de mesures vertes dans les plans de relance, où le Programme des Nations Unies pour l'environnement (PNUE), le Bureau international du travail (BIT), l'Organisation internationale des employeurs (OIE) et la Confédération syndicale internationale (CSI) ont consacré un important rapport à la question des emplois verts[1]. D'une manière générale, les deux défis, environnemental et social, étaient liés. Parallèlement, l'indignation vis-à-vis des comportements des banques

_____
1. UNEP, ILO, IOE, ITUC, *Green Jobs : Toward Decent Work in a Sustainable*, Low-Carbon World, 2008.

et de « la finance » se développait : on semblait s'orienter vers une régulation des marchés financiers et l'idée qu'il était temps de mettre en place un nouveau modèle de développement porté par un nouveau paradigme ne semblait plus hors atteinte.

En France, les esprits avaient été séduits par la démarche du Grenelle et sa capacité à mettre autour de la table l'ensemble des acteurs. En Europe, la Confédération européenne des syndicats voyait dans la reconversion écologique une occasion d'opérer un saut qualitatif en matière de gestion de l'emploi. Elle écrivait ainsi, en 2010, que l'Union européenne « doit adopter un nouveau deal durable, fondé sur une stratégie de développement, pour protéger la relance et éviter une nouvelle récession en Europe, pour une transition juste, pour créer des millions d'emplois verts, décents et durables, et apporter une contribution juste et efficace à la lutte mondiale contre le changement climatique ». En 2009, la *Spring Alliance*, regroupement européen d'associations et d'organisations syndicales, avait rédigé un Manifeste qui mettait au premier plan de ses inquiétudes le changement climatique, la perte de biodiversité et la surconsommation de ressources naturelles, mais aussi la montée des inégalités entre Nord et Sud et l'inefficacité des politiques d'austérité menées en Europe.

Le Manifeste plaidait pour un traitement conjoint des problèmes écologiques et sociaux, rappelant que le renversement de la place traditionnellement accordée à l'économie est la première des mesures à mettre en place : « L'économie doit devenir un moyen au service d'une autre fin et non la fin elle-même », précisant que la nouvelle stratégie économique devrait être mise au service des objectifs sociaux et environnementaux. Il proposait également que les investissements de l'Union soient prioritairement dirigés vers un programme de transformation coordonné avec les plans de relance et soutiennent de nouvelles politiques industrielles visant à la fois des productions décarbonées et des emplois de qualité. Il comportait enfin un volet économique et financier détaillant le financement de ces mesures notamment grâce à une politique antidumping et un transfert de fiscalité du travail vers le carbone, de même qu'un vaste programme d'isolation thermique et d'économies d'énergie.

Le rapport publié en 2008 dont nous avons fait état ci-dessus, « Pour un travail décent dans un monde durable, à faibles émissions de carbone », comportait un message essentiel : les efforts déployés pour lutter contre le changement climatique permettront la création de millions d'emplois, entre autres dans le secteur des énergies renouvelables, le BTP, les transports, les industries lourdes, l'agriculture et la foresterie. Il soulignait que les énergies renouvelables généraient plus d'emplois que les énergies fossiles, et qu'un investissement de 630 milliards de dollars d'ici à 2030 pourrait entraîner la création de 20 millions d'emplois. Douze millions de personnes pourraient trouver de l'emploi grâce à la biomasse utilisée dans l'agriculture ; l'amélioration de l'efficacité énergétique des bâtiments pourrait permettre de créer entre 2 et 3,5 millions d'emplois aux États-Unis et en Europe ; le recyclage des déchets pourrait également permettre le développement de nombreux emplois.

C'est aussi en 2008 et 2009 que des plans de relance verts avaient été conçus puis lancés. Le document de synthèse produit par le Commissariat au développement durable en octobre 2009 indiquait que, sur les

2800 milliards prévus par les plans de relance d'une vingtaine de pays, 15% étaient consacrés à des investissements verts. Ces plans de relance verts avaient été élaborés à la suite du rapport soumis aux chefs d'État du G20 en avril 2009 par Ottmar Edenhofer et Nicholas Stern, qui soutenaient qu'une unique réponse devait être apportée à la double crise économique et écologique : des politiques budgétaires volontaristes soutenant l'investissement dans les secteurs du changement climatique où le contenu de la croissance en emplois est plus élevé. Les deux chercheurs avaient ainsi identifié plusieurs actions stratégiques parmi lesquelles : l'efficacité énergétique dans les bâtiments et le transport ; la rénovation des infrastructures, les technologies propres, l'amélioration de la recherche-développement, l'encouragement de l'investissement privé, la coordination des efforts des pays du G20. Le communiqué final du G20 avait marqué l'engagement des chefs d'État de « construire une relance économique verte et durable ».

Deux événements ont réduit quasiment à néant ces bonnes résolutions : d'une part, les conférences consacrées à la lutte contre le changement climatique ont totalement échoué, qu'il s'agisse de la conférence de Copenhague en 2009 ou de celle de Rio + 20 en 2012, les pays occidentaux et émergents ne parvenant pas à s'accorder. Par ailleurs, alors que la majorité des experts annonçait la sortie de crise pour 2010/2011, la plupart des pays européens ont été emportés par celle-ci, et les mesures d'austérité et les réformes structurelles mises en œuvre dans plusieurs pays ont considérablement aggravé la situation sociale : explosion des taux de chômage, précarisation de l'emploi, baisse des salaires. Dans ces circonstances, il aurait été miraculeux que les objectifs de moyen long terme fassent toujours figure de priorité à côté de la question sociale, brûlante.

Les questions de la biodiversité et du changement climatique ont plus ou moins disparu des écrans européens depuis 2011. Au sommet du bâtiment qui abrite la Confédération européenne des syndicats (CES), à Bruxelles, la banderole qui flotte porte l'inscription : « Non aux politiques d'austérité. Des emplois et de la croissance. » Comme l'explicitait récemment Philippe Pochet, le directeur de l'Institut syndical européen, dans la séance du séminaire « Reconversion écologique et prospérité », le 16 février 2013, plus personne n'ose soutenir qu'il faut moins de croissance, et rares sont ceux qui mettent l'impératif écologique au même niveau de priorité que l'impératif social. Comme l'écrit Jackson, et c'est encore plus vrai aujourd'hui qu'au moment où il écrivait son livre, ceux qui défendent cette position sont pris pour des fous, des idéalistes ou des révolutionnaires. On adopte au mieux une logique séquentielle : desserrons d'abord l'étau qui nous écrase en obtenant quelques points de croissance et nous verrons bien après comment remettre sur la table les questions du moyen long terme. C'est ici et maintenant que les individus se débattent dans le chômage et les bas salaires. Le reste attendra. Certains responsables politiques français le reconnaissent : certes, les questions écologiques importent mais quelques points de croissance, comme ce qui est arrivé en 2001 en France, seraient vraiment bienvenus et ne feraient pas de mal à la planète...

Les revendications de la *Spring Alliance* sont devenues presque inaudibles, l'Agenda Vert de l'Europe n'est plus d'actualité, la crise des dettes souveraines et les politiques développées en Europe pour répondre à

la crise ont rendu les besoins de financement des politiques sociales encore plus aigus et les dépenses des
États encore plus sous contrôle. Deux positions
s'affrontent désormais en Europe. L'une, majoritaire,
estime la question des déficits prioritaire, les États-
membres devant avant tout alléger le fardeau de leur
dette. L'autre, minoritaire, exige une relance immé-
diate : toutes les deux attendent le salut de l'Europe
du retour de la croissance, refusant d'envisager la possibilité que celle-ci ne revienne pas. En 2010, dans *Les
Chemins de la transition* [1], Christian Degryse et Philippe
Pochet soutenaient que les pays européens étaient
confrontés à un trilemme : réduire le déficit public,
investir dans l'infrastructure verte et préserver l'État-
providence et les services publics, et qu'ils ne pourraient pas relever simultanément plus de deux de ces
défis. Ils précisaient : la consolidation budgétaire et le
maintien de l'État providence signifieraient un retour
à l'esprit de Lisbonne en 2000 ; la consolidation budgétaire et les investissements verts conduiraient à un
capitalisme vert ; enfin, la préservation (ou le renforcement) de l'État providence et les investissements verts
impliqueraient un véritable changement de paradigme
économique.

Des trois scénarios ainsi envisagés, le troisième
– « saisir l'opportunité du changement climatique pour
interroger fondamentalement le modèle économique
dominant, l'accumulation et la concentration du capital, l'emprisonnement dans une épuisante poursuite de

---

1. Philippe Pochet et Christian Degryse, « Sortie de crise : trois
options pour l'Europe », in Thomas Coutrot, David Flacher, et
Dominique Méda, *Pour sortir de ce vieux monde. Les chemins de la
transition,* Paris, Éditions Utopia, 2010.

la croissance économique, des gains de productivité, et de compétitivité » –, semble le plus difficile à promouvoir. En effet, « le compromis social-démocrate des sociétés européennes est, précisément, fondé sur un accroissement continu de la richesse des nations. Il s'alimente de cette croissance qui permet d'adoucir voire de masquer les conflits de répartition et de redistribution [...] Les difficultés sont multiples car surgissent les craintes pour l'emploi, pour le financement de la protection sociale, pour les investissements publics et les services publics ».

La question la plus épineuse que soulèvent Degryse et Pochet est celle des forces susceptibles de porter le changement : qui seraient, demandent-ils, les acteurs de ce changement radical ? Si la résolution de la question écologique et celle de la question sociale ne sont plus liées, c'est d'abord parce que la coalition d'intérêts qui aurait été susceptible de promouvoir une résolution conjointe a éclaté. Comme on l'a vu à l'occasion des discussions entourant la fermeture de la centrale nucléaire de Fessenheim, les syndicats et leurs mandants ne sont plus prêts à donner la priorité à la cause écologique sur la cause de l'emploi, ni même à mettre les deux sur le même plan. Les syndicats de la centrale s'interrogent sur le bien-fondé de la fermeture de la centrale nucléaire, rejoignant les positions d'un grand nombre de familles modestes qui ne sont pas prêtes à voir leurs dépenses augmenter (qu'il s'agisse de l'électricité, d'une éventuelle taxe carbone ou de la fiscalité pesant sur le diesel) au nom de la cause écologique. Le rapprochement qui avait prévalu au début de la crise économique entre les associations écologistes et les syndicats a fait long feu. L'opposition entre court terme et long terme, justice sociale et cause écologique apparaît désormais sous un jour d'une cruelle clarté. Si les plus démunis pensent que prévenir l'occurrence de la crise écologique aggravera les inégalités, il est plus que probable que nous ne parviendrons pas à mettre sur pied les coalitions d'intérêts qui pourraient permettre de conjuguer cause écologique et cause sociale.

Deux lueurs d'espoir existent néanmoins dans cette époque troublée. D'abord, comme en témoigne l'un des chercheurs les plus importants sur les liens entre justice et écologie, Joan Martínez Alier, le fait que les questions écologiques ne sont pas des problèmes de « bobos », mais que les plus pauvres savent parfaitement qu'ils sont et seront les premiers concernés par l'aggravation de la crise écologique, permet d'espérer la formation de coalitions d'intérêts transnationales. « Dans tous les lieux du monde, écrit Joan Martínez Alier, il existe des résistances. Nous pouvons les appeler "écologisme populaire", "écologisme des pauvres" ou "mouvement de la justice environnementale" [...] Il existe depuis longtemps un écologisme populaire même si, à première vue, on a l'impression que l'écologisme est un mouvement issu de la classe moyenne de quelques pays riches qui a pris son essor à la fin des années 1960 et au début des années 1970 [...] Il existe des mouvements sociaux de pauvres liés à leurs luttes pour la survie [...] Ils essaient d'arracher les ressources naturelles à la sphère économique, au système de marché généralisé, à la rationalité marchande, à la valorisation chrématistique, afin de les maintenir ou de les ramener au niveau de l'*oikonomia*[1]. » Contrairement à ce que l'on a tendance à croire dans les pays occiden-

---

1. Joan Martínez Alier, « Conflits écologiques et langages de valorisation », art.cit.

taux, des alliances sont possibles entre des classes ou des groupes appartenant aux pays occidentaux et émergents, sur la base d'une amélioration des conditions de vie des uns et des autres, donc de la promotion de normes internationales concernant l'environnement et le travail.

L'autre signe encourageant est à chercher du côté de la Confédération européenne des syndicats, de la Confédération syndicale internationale et de l'Organisation internationale du travail, qui continuent de promouvoir l'idée d'une « transition juste », sans doute la plus à même de constituer une synthèse entre cause de l'emploi et cause écologique. Anabella Rosemberg, responsable de la question du changement climatique à la CSI, impute l'invention du concept de transition juste à un syndicaliste qui aurait affirmé en 1998 que « le vrai choix n'est pas entre emploi et environnement. Il faut gagner ou perdre les deux[1] ». Elle rappelle que dans un document préparé par la CSI, ce concept est défini comme « l'outil que le mouvement syndical partage avec la communauté internationale, destiné à faciliter la transition vers une société plus durable et qui donne de l'espoir dans la capacité d'une économie verte à conserver les emplois décents et les moyens de subsistance pour tous ».

Cette approche a été unanimement adoptée au congrès de la CSI en 2010, quand celui-ci a déclaré que la transition juste était la seule façon de combattre le changement climatique. La CSI maintient sa revendication

---

1. Bureau international du travail, « Changement climatique et travail : les objectifs d'une transition juste », *Journal international de recherche syndicale*, vol. II, n° 2, Genève, publications du BIT, 2010.

lors de chaque conférence internationale consacrée au climat – et récemment à Doha : c'est le signe qu'une alliance est possible. Mais sa réussite suppose d'accorder la priorité absolue à ce que les syndicats soulignent depuis le début : la nécessité de donner à la question de l'emploi la première place.

CHAPITRE 16

Remettre sur le métier la question des liens entre croissance et emploi : où il est montré que résoudre la question écologique peut améliorer l'emploi et changer le travail

Dans le discours des responsables politiques, l'emploi apparaît comme le motif principal de la supplique pour le retour de la croissance. Les médias répètent en boucle que sans croissance rien n'est possible et qu'il faudrait au moins une augmentation de 1,5% pour mordre sur le chômage et créer de l'emploi. *A contrario*, les discours des partisans de la décroissance, qui dénoncent les ravages de la croissance sur l'environnement, peinent à entraîner l'adhésion du plus grand nombre dans la mesure où ils semblent suggérer une réduction drastique de l'emploi et des revenus. Plus généralement, nous venons de le voir, les politiques environnementales semblent contradictoires avec l'emploi : qu'elles se traduisent par des hausses de prix ou des fermetures de sites, elles paraissent opposées aux intérêts à court terme des travailleurs et cette situation contribue à la difficulté de constituer des coalitions suffisamment larges en faveur d'un nouveau modèle de développement.

La croissance est-elle nécessaire à l'emploi ? S'il est exact de soutenir qu'à durée du travail inchangée et toutes choses égales par ailleurs (par exemple, sans prendre en considération l'évolution des gains de productivité), la croissance est nécessaire pour créer de l'emploi, précisons qu'il est possible de voir augmenter le nombre de travailleurs employés à partir du moment où la durée individuelle du travail est réduite. Il importe également de tenir compte des gains de productivité : si ceux-ci sont plus élevés que la croissance, cette dernière n'entraînera aucune création d'emplois. La prise en considération de ces liens assez simples suggère deux réflexions. D'abord, il est faux de dire qu'un taux de croissance de plus de 1,5% est la *seule* possibilité de lutter contre le chômage. Il en existe une autre, qui consiste à réduire la durée du travail. Ensuite, si la croissance ne revenait pas – et en tout cas pas au rythme auquel nous étions accoutumés – il nous resterait deux solutions pour faire en sorte que le plus grand nombre ait accès à l'emploi : réduire la durée du travail ou réduire la productivité du travail telle qu'elle est mesurée, au bénéfice de gains de qualité et de durabilité. Cette dernière option consiste à produire autant de quantités (mais de biens ou de services d'une qualité écologique et sociale supérieure) avec un plus grand nombre d'heures de travail, que ce volume corresponde à plus d'emplois ayant la même durée de travail qu'avant, ou à encore plus d'emplois si la durée de travail est réduite.

Ces deux solutions restent, dans l'état actuel du débat public, l'une et l'autre, quasiment inaudibles. La première, la réduction du temps de travail, a suscité, en France, un débat idéologique d'une violence qui n'a eu d'égale que son imprécision. La RTT a été accusée de tous les maux : avoir dégradé la valeur travail, mis la France à genoux, détruit notre compétitivité, vidé les caisses de l'État... On a simplement oublié de mentionner les faits suivants : la plupart des pays européens ont vu leur temps de travail réduit dans une mesure identique mais selon des modalités diverses[1] (si la France a procédé par un raccourcissement de la norme collective de travail à temps complet, d'autres pays, comme l'Allemagne, ont procédé par multiplication de temps partiels de courte durée et mal payés, généralement réservés aux femmes) ; les entreprises y ont trouvé leur intérêt ; la majorité des salariés ont pu se réapproprier une partie du temps libéré, notamment sous l'empire des lois Aubry I ; la négociation a été dynamisée ; l'opération s'est accompagnée de trois cent cinquante mille créations d'emplois et d'un regain de croissance... La seconde, le ralentissement des gains de productivité dans certains secteurs, passe pour une hérésie : tout étudiant en économie de première année apprend que les gains de productivité sont la source de la croissance et du progrès... Et pourtant, Jouvenel avait attiré l'attention dès 1958 sur le fait que ce processus est un « progrès dans l'organisation du travail mais un regrès dans l'aménagement de l'existence » et que s'il gagne des satisfactions comme consommateur, l'homme en perd comme producteur... De plus en plus, l'augmentation obsessionnelle des gains de productivité dans tous les secteurs apparaît en partie responsable non seulement de la

---

1. Gérard Bouvier et Fatoumata Diallo, *Soixante ans de réduction du temps de travail dans le monde*, Insee Première, n° 1273, janvier 2010.

perte de sens du travail[1] mais aussi de la dégradation de la qualité des services.

Retenons qu'il est possible de créer de l'emploi sans croissance. Certes, dira-t-on, mais au prix d'une perte de compétitivité radicale, donc d'un appauvrissement immédiat de notre pays. Car nous sommes en économie ouverte, engagés dans une compétition mondiale, en confrontation directe avec des pays dont les coûts de production – notamment les salaires – sont bien moins élevés que dans notre pays : nos produits, renchéris par la réduction du temps de travail ou le ralentissement des gains de productivité, seraient bientôt hors compétition. Et le destin de la France rejoindrait celui de l'Argentine en son temps avec son cortège de dettes, de coupes dans les salaires, de mise sous perfusion du FMI, de programmes d'ajustement structurel... Indiquons pour répondre à cet argument que le financement de la réduction du temps de travail pourrait s'opérer, d'une part, en y faisant participer les plus hauts salaires et, d'autre part, en utilisant la partie de la valeur ajoutée actuellement consacrée à rémunérer les actionnaires. Par ailleurs, il est urgent de revoir le cadre dans lequel s'inscrivent nos raisonnements, celui d'une mondialisation non régulée, avec un pouvoir immense laissé aux marchés financiers, une Europe incapable d'éviter le dumping social, environnemental et fiscal à l'extérieur comme à l'intérieur de ses frontières et de promouvoir des normes sociales et environnementales élevées.

La transition écologique ne pourra pas s'engager sans un minimum de changements par rapport à la

---

1. Voir les résultats de l'enquête de Radio France consacrée à ce thème, présentés dans Jan Krauze, Dominique Méda, Patrick Légeron, Yves Schwarz, *Quel travail voulons-nous ?*, Paris, Les Arènes, 2012.

situation que nous connaissons actuellement. Impossible de la mettre en œuvre sans donner un coup d'arrêt à la financiarisation de nos économies, qui porte à son comble l'obsession pour la maximisation dont nous avons montré les ravages, et donc sans adopter une taxe sur les transactions financières, sans obliger les banques à séparer réellement leurs activités de crédit de leurs opérations spéculatives, sans nous doter des moyens de mettre fin aux paradis fiscaux et donc à l'évasion fiscale[1]. Impossible de l'engager sans mettre en œuvre les normes sociales et environnementales qui permettront à l'Europe d'échapper au dumping social et à la course vers le bas, sans mettre en place un fonds qui pourra engager les investissements nécessaires et donc... sans revoir les traités européens.

Nous devons envisager tous les scénarios. Notamment celui dans lequel la croissance ne reviendrait pas. Certes, on ne peut déduire du fait que les Trente Glorieuses apparaissent comme une parenthèse historique que la croissance ne reviendra pas. Ce n'est pas non plus parce qu'il est manifeste que les taux de croissance sont systématiquement moins élevés d'une année sur l'autre depuis 1968 que l'on peut tirer une telle conclusion. Mais les courbes sont tout de même frappantes...

---

1. Sur tous ces sujets, voir les textes produits par Roosevelt 2012 et plus précisément les notes de Gaël Giraud et son livre *L'Illusion financière*, Paris, L'Atelier, 2012. La séparation des activités bancaires aurait supposé la mise en œuvre d'un Glass-Steagall Act, soit « une séparation juridique et opérationnelle stricte en créant des banques dédiées à chacune des deux activités ». Note de synthèse de Gaël Giraud sur le projet de loi présenté par M. le ministre Pierre Moscovici au Conseil des ministres, le 19 décembre 2012.

Les tendances du PIB et de la productivité horaire

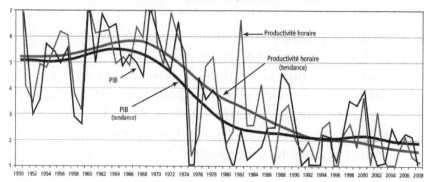

Taux de croissance annuels (moyenne mobile). Source : Insee

Source : Michel Husson, Et si la croissance ne créait pas d'emploi,
octobre 2010

PIB

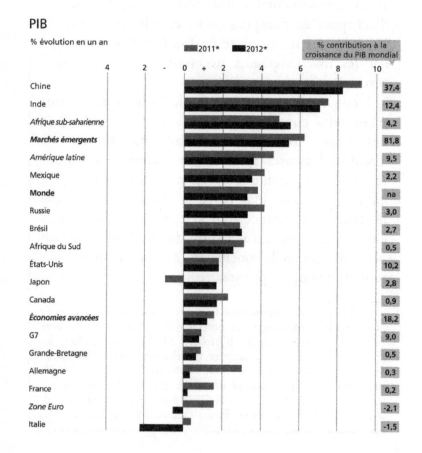

Surtout si on les compare à celles des taux de croissance des pays émergents et en voie de développement : la comparaison est édifiante, comme le met en évidence le graphique publié par *The Economist* (page précédente, en bas).

D'un côté, l'ensemble des économies dites avancées, dont la croissance est extrêmement faible. De l'autre, les pays émergents et une partie des pays en développement qui présentent des taux de croissance élevés, et, comme le montre le Rapport sur le travail dans le monde 2013 du BIT des créations d'emplois en nombre. Comment ne pas y voir un effet du rattrapage des pays émergents ? Comment ne pas accepter ce que traduisent ces chiffres : les pays émergents sont en train de rattraper les pays dits développés. À moins d'un saut technologique majeur ou de la transformation systématique du moindre recoin de la planète en capital à valoriser, les principaux besoins des pays du Nord sont désormais satisfaits, les principaux gains de productivité ont été réalisés. Il serait donc sans doute plus sage, le plus tôt possible, de nous demander comment nous ferions si la croissance ne revenait pas, comment nous parviendrions à maîtriser les effets de son absence.

Que faire aujourd'hui alors que la croissance ne revient pas ? Que ferions-nous demain si la croissance ne revenait pas ? Devons-nous laisser se faire de manière sauvage la sélection de ceux qui perdent leur emploi et n'en retrouveront pas ? Devons-nous laisser se réaliser « naturellement » l'allocation des emplois, selon un processus tout darwinien, comme continuent de le proposer certains économistes qui veulent nous faire croire que le déversement d'Alfred Sauvy ou la destruction créatrice de Joseph Schumpeter sont toujours de mise, permettant à nos nations de se débarrasser des emplois inutiles ou non rentables pour laisser place à de nouveaux emplois plus « modernes » ? Devons-nous accepter l'idée que l'on ne fait pas d'omelette sans casser des œufs et fermer les yeux sur le processus de destruction des emplois, en nous contentant de l'accompagner[1] ? Et penser que tout ira mieux ensuite.

Non. Et cela pour deux raisons principales. D'abord, parce qu'il n'y a plus rien de « naturel » dans un processus où des multinationales qui pèsent plus lourd que des États ont toutes les cartes en main : loin d'être « naturelles », les destructions d'emplois ne sont que le résultats de la comparaison que ces entreprises opèrent entre les coûts de production, les souplesses relatives des droits du travail et les niveaux de développement des normes sociales et environnementales des différents pays. Ensuite, parce que nous sommes en train de nous apercevoir qu'en appliquant les prescriptions des économistes qui ne voient dans la protection de l'emploi que des entraves au libre fonctionnement du marché du travail, nous avons peu à peu laissé détruire toute une série d'emplois qui n'étaient pas inutiles. Des emplois qui ne reviendront pas.

Nous le comprenons aujourd'hui : ce n'est pas l'entreprise ou le marché mondial qui décident du caractère utile ou inutile d'un emploi. Ce sont les besoins qu'il permet de satisfaire. Il est grand temps d'en revenir à des questions fondamentales : quels besoins sociaux essentiels voulons-nous pouvoir satisfaire ? Pouvons-nous parvenir à le faire en employant les compétences présentes ? Si garantir le libre échange

---

1. Voir l'introduction de B. Gomel, D. Méda, E. Serverin, *L'Emploi en rupture*, Paris, Dalloz, 2010.

est très important, permettre à chaque pays ou à chaque grande zone – pensons à l'Europe ou à la Chine – d'assurer dans une relative indépendance la satisfaction des besoins essentiels de ses ressortissants est primordial. Un tel renversement constituerait une révolution : il ne s'agirait plus d'assurer à des entreprises de taille mondiale des profits toujours croissants en espérant un éventuel « ruissellement », mais de chercher directement à satisfaire les besoins essentiels des populations dont la moitié continue à vivre avec moins de 2 dollars par jour.

Un tel renversement permet de remettre l'objectif emploi (le fait que chacun puisse accéder à celui-ci) à la place qu'il n'aurait jamais dû perdre : la première qui est également celle, souvenons-nous-en, que l'indicateur de progrès lui donne. Autrement dit, il ne s'agit plus de laisser de grands groupes se saisir du prétexte de la maximisation de la production et de la baisse des prix pour le consommateur pour transformer l'emploi en simple variable d'ajustement. Il s'agit au contraire d'afficher comme objectif principal des nations la possibilité de répondre aux besoins essentiels de leurs populations, ceux-ci faisant l'objet d'un choix collectif encadré par des délibérations. Seule une telle inversion de priorité peut permettre d'accorder l'attention nécessaire aux modalités selon lesquelles la production est dès lors réalisée : avec quelle répartition de l'emploi, en respectant quelles normes sociales et environnementales. Seule une telle inversion de priorité peut permettre de civiliser le processus d'adaptation dans lequel nous allons devoir nous engager afin de faire en sorte que la production s'oriente dans une direction compatible avec le maintien des grands équilibres écologiques.

Satisfaire les besoins essentiels de la population en utilisant pleinement les compétences disponibles et en visant non plus des gains de productivité et des points de croissance, mais des gains de durabilité et de qualité des biens et services produits, telle est la proposition portée par Jean Gadrey. Certains économistes, nous l'avons dit, défendent l'idée que seule une nouvelle étape de réduction collective du temps de travail est nécessaire à court terme pour éviter l'exclusion définitive de l'emploi de pans entiers de la population active, Gadrey soutient, lui, la nécessité de ralentir considérablement les gains de productivité, notamment dans les services. Il confirme, comme Husson, qu'« il y a des raisons de penser que, dans tous les cas de figure, les pays riches vont sortir de la brève période de leur histoire où les gains de productivité, source majeure de leur croissance, ont constitué le cœur de leur modèle économique et de leur vision du progrès ».

Il propose donc de substituer à la recherche de gains de productivité et de points de PIB celle de gains de durabilité et de qualité, tout en diminuant notre dépendance aux combustibles fossiles et nos émissions de GES par les moyens désormais bien connus : extension de l'agriculture biologique, isolation des bâtiments, développement de transports en commun plus intensifs en main-d'œuvre et plus économes en ressources naturelles. Il serait selon lui possible d'envisager la création de quatre millions d'emplois dans les prochaines années, se répartissant entre l'agriculture (150 000), les énergies renouvelables, l'isolation thermique, les économies d'énergie (700 000), les transports, le commerce (500 000), les services de la bonne vie (1,5 million), à quoi il faut ajouter les créations d'emplois procurées par la réduction du temps de travail à 32 heures (1 million).

Gadrey soutient, comme la CES ou la CSI, et d'autres auteurs, que le développement de ce type de production, plus intensive en main-d'œuvre, permettra d'avancer sur la voie de la résolution de la question écologique en créant des emplois. Et, pourrait-on ajouter, en changeant la nature du travail !

Inutile de s'appesantir ici sur l'actuel malaise au travail qu'un auteur américain, Matthew B. Crawford, marchant sur les traces de Georges Friedmann, a jugé suffisamment important pour soutenir qu'il exige une sortie du capitalisme[1]. Si les attentes à l'égard du travail sont de plus en plus fortes, elles sont aussi de plus en plus fortement déçues[2]. Développer des types de production où les gains de productivité et de rentabilité ne sont plus déterminants, et qui contribuent à redonner du sens au travail est donc une urgence presque aussi grande que de redistribuer l'emploi sur l'ensemble de la population active. Cela permettrait surtout de vaincre la principale résistance au ralentissement du rythme de croissance : ses effets sur l'emploi. Gadrey montre que si ce qui importe est la qualité nutritive, sanitaire et gustative des aliments (exactement comme Aldo Leopold écrivait : « Le kilo, le quintal et la tonne ne sont pas l'unique mesure de la valeur nutritive des récoltes : les produits issus d'un sol fertile peuvent être supérieurs, d'un point de vue qualitatif aussi bien que quantitatif ») ou la durabilité, alors nous aurons de

1. Matthew B. Crawford, *L'Éloge du carburateur*, Paris, La Découverte, 2010.
2. Lucie Davoine et Dominique Méda, « Place et sens du travail en Europe : une singularité française ? », Document de travail du Centre d'études de l'emploi, 2008, et Dominique Méda, Patricia Vendramin, *Réinventer le travail*, Paris, PUF, coll. « Le Lien social », 2013.

moindres gains de productivité mais de plus forts gains de qualité et d'emploi. Marie-Monique Robin a montré la même chose dans ses documentaires.

Quelles sont les conditions pour engager un tel bouleversement de nos habitudes et de nos dispositifs de mesure ? De telles reconversions sont-elles possibles au niveau local ? La Région Nord-Pas-de-Calais s'est engagée dans un tel processus, afin de réformer ses interventions économiques, de manière à privilégier des projets respectant des normes sociales et environnementales élevées, c'est-à-dire permettant que les productions engagées garantissent l'intégrité de la santé sociale et du patrimoine naturel. Si la question du financement des reconversions envisagées est essentielle, celle des politiques permettant de coordonner celles-ci et de sécuriser les parcours des travailleurs ne l'est pas moins.

CHAPITRE 17

Planifier la transition vers un monde désirable et juste : où il est mis en évidence qu'un rôle éminent incombe à l'État dans le pilotage de la reconversion écologique

Les organisations syndicales ne cessent de le clamer : mettre la question de l'emploi et de la redistribution au cœur de la transition écologique est une nécessité pour obtenir l'adhésion des citoyens. Comment imaginer que les travailleurs, dont ceux qui sont employés dans des filières polluantes, s'engagent en faveur de la reconversion écologique s'ils sont convaincus que ce processus leur fera perdre leur emploi et qu'on les abandonnera en cours de route ? Comment emporter l'adhésion de personnes aux prises avec le chômage à qui l'on va expliquer qu'au nom des générations futures elles vont devoir mettre encore plus de temps à retrouver un emploi ou payer plus cher leurs déplacements ou leur facture d'électricité ? Comment persuader les travailleurs qu'une reconversion écologique radicale non seulement créera des emplois (alors que des milliers sont détruits tous les jours sans que les gouvernements parviennent à s'y opposer), mais que seront mis en place pour la contrôler des mécanismes d'accompagnement bien plus puissants et efficaces que ceux qui sont aujourd'hui déployés pour faire face à la crise ? Comment convaincre la population qu'alors que depuis plus de vingt ans les principaux remèdes à la crise de l'emploi visent à faciliter les ruptures de contrat de travail et que les organisations internationales continuent à prescrire un surcroît de flexibilité, la puissance publique serait décidée à procéder autrement ?

L'idée de transition juste portée par les syndicats vise à défendre l'idée que la reconversion écologique doit s'opérer de manière civilisée, non pas en laissant se dérouler le processus de manière prétendument naturelle (en réalité conformément à la loi du plus fort) mais en l'organisant, en ne le laissant pas au hasard, en mutualisant les pertes et les gains, en développant une véritable solidarité entre l'ensemble des membres de la société concernés : « Les inévitables coûts de cette transition pour l'emploi et pour nos sociétés devraient être partagés par tous. » Elle consiste à soutenir que les travailleurs des filières ou des secteurs les plus polluants ou émetteurs de GES ne devront pas être les victimes du processus de reconversion. Cette opération doit impliquer l'ensemble de la population. Elle devra être anticipée, faire l'objet d'une prospective approfondie, de nombreuses études d'impact, bref, d'une intense mobilisation.

Certes, nous disposons déjà d'un nombre de connaissances non négligeables. Le rapport commun de la CSI, du PNUE, de l'OIE et de la CSI en a déjà mis une partie à disposition. Le numéro du *Journal international de recherche syndicale* de 2010 intitulé « Changement climatique et travail : les objectifs d'une transition juste », déjà cité, fait également un remarquable point sur ce que nous savons et ne savons pas au niveau mondial sur les liens entre changement climatique et emploi. Nous savons par exemple que les actions destinées à réduire les émissions de GES dans certains secteurs auront des effets négatifs sur l'emploi, notamment dans les secteurs liés à l'énergie des combustibles fossiles et d'autres secteurs à forte intensité d'énergie. Des pertes d'emplois devraient ainsi être enregistrées dans les secteurs du charbon et de la raffinerie de pétrole. Mais des créations d'emplois devraient advenir dans les énergies renouvelables, les transports, l'isolation thermique des bâtiments, la foresterie et l'agriculture.

D'une manière générale, on peut attendre des créations d'emplois du fait du développement de nouveaux biens et services dans d'anciens ou de nouveaux secteurs mais aussi de celui de productions plus intensives en main-d'œuvre et d'un ralentissement volontaire des gains de productivité dans certains secteurs au bénéfice d'une montée en qualité. Certaines analyses très localisées, par exemple une étude consacrée à l'Ile-de-France et aux effets de la réduction de 30% des émissions de GES, ont permis de calculer que la création de 650 000 emplois pourrait être associée à cette opération. Une étude récente a montré que dans les quatre chantiers majeurs qui vont constituer le cœur de la transition écologique – la rénovation thermique des bâtiments, l'écomobilité, le verdissement des processus industriels et l'agriculture biologique – 6 millions d'emplois pourraient être créés[1]. Une analyse du

---

1. Carlo C. Jaeger, L. Paroussos, D. Mangalagiu, R. Kupers, A. Mandel, Joan David Tabara, *A New Growth Path for Europe. Generating Prosperity and Jobs in the Low-Carbon Economy Synthesis Report*, Potsdam, 2011.

CIRED, réalisée par Philippe Quirion, et publiée en avril 2013, a montré que l'effet net sur l'emploi de la transition énergétique en France (mise en œuvre selon le scénario Négawatt) aboutissait à un effet positif sur l'emploi de l'ordre de plus de 240 000 emplois en 2020 et 630 000 en 2030[1].

Nos connaissances restent néanmoins encore extrêmement insuffisantes, comme le souligne Anabella Rosemberg : les effets des politiques de réduction des émissions de GES dans les pays émergents sont mal connus. Nos lacunes sont géographiques, mais aussi sectorielles. Elles concernent également les compétences requises par les nouveaux emplois. Mais surtout, subsiste une inconnue majeure : « Quelles stratégies sont disponibles pour améliorer les conditions de travail dans les nouveaux secteurs ? » Plus généralement donc, ces nouveaux emplois seront-ils des emplois de bonne ou de médiocre qualité ?

Par ailleurs, outre les secteurs que nous devons développer pour réduire notre dépendance aux énergies fossiles et pour lutter contre le réchauffement climatique, dans quels secteurs souhaitons-nous développer de nouveaux emplois ? Dans quelle direction pouvons-nous orienter les exercices de prospective des métiers et des qualifications qui se contentent encore trop souvent de prolonger les tendances présentes ? La France doit-elle, comme le suggère l'économiste Philippe Askenazy, se spécialiser dans le secteur de la santé et de l'éducation ? Enfin, devons-nous organiser cette reconversion et cette prospective à la seule

----

1. Philippe Quirion, « L'effet net sur l'emploi de la transition énergétique en France : une analyse input-output du scénario mégawatt », *Cired*, n° 46-2013, avril 2013.

échelle de la France (et dans quelle mesure aux échelles locales et régionales) ou plutôt à l'échelle de l'Europe entière ?

Si nous en restons à l'idée développée précédemment – avoir les yeux fixés moins sur les évolutions du PIB que sur celle de notre indicateur de progrès, qui nous indique la manière dont les besoins sociaux essentiels sont satisfaits sous la double contrainte des émissions de GES et des évolutions de la santé sociale –, il importe que cette reconversion soit organisée parallèlement à l'échelle européenne, nationale et locale. L'objectif d'autosuffisance à chacune de ces échelles, pour les principales productions, apparaît raisonnable et pourrait constituer un guide. Mais envisager une reconversion d'une telle ampleur exige plusieurs conditions.

La première est de parvenir à mettre en œuvre, aux différents niveaux, de puissants mécanismes de sécurisation permettant aux travailleurs des secteurs directement frappés par les restructurations nécessaires de ne pas en être les victimes. Cela suppose un véritable changement par rapport à ce que nous avons connu. Ce sont des schémas de reconversion, précis et coordonnés par la puissance publique qu'il nous faut inventer, appuyés sur un Fonds européen abondamment alimenté – à la différence du fameux fonds d'adaptation à la mondialisation qui avait été mis en œuvre en 2006 et n'avait absolument pas réussi à jouer son rôle. Il s'agit d'anticiper et d'organiser très à l'avance le transfert de salariés d'un secteur à un autre, d'un métier à un autre, sans passer par le chômage mais uniquement par des dispositifs de formation, leur permettant de continuer à bénéficier de leur salaire antérieur et d'acquérir de nouvelles compétences.

Il s'agit donc, à l'inverse des politiques actuellement mises en œuvre – qui facilitent encore trop souvent la rupture du contrat de travail, la suppression des emplois et la perte définitive de compétences –, de soutenir et de financer la création et le maintien de nouveaux emplois « utiles ». Il s'agit aussi de développer des politiques sociales qui serviront véritablement de stabilisateurs et de tremplins vers de nouvelles qualifications et de nouveaux emplois, et d'adopter des réformes d'ampleur, sachant que le chômage est un risque social qui devrait être couvert par l'ensemble de la collectivité et non une figure de la paresse. Réforme de l'assurance chômage et des minima sociaux, abandon des politiques d'activation et d'incitation indignes mises en place ces vingt dernières années, acceptation du fait que la puissance publique ne doit pas hésiter à jouer le rôle d'employeur en dernier ressort : autant de réformes à mettre en œuvre pour réussir la transition.

La seconde condition est précisément de mener les politiques industrielles et de services nécessaires à la satisfaction des besoins essentiels des populations européennes en organisant, dans la mesure du possible, une relative autosuffisance ou souveraineté : alimentaire, industrielle, servicielle et énergétique. Au lieu d'inciter les entreprises à se séparer au plus vite de leurs travailleurs, nous ferions mieux de favoriser, si possible à l'échelle européenne, des politiques de recherche-développement et d'innovation, mais aussi de conservation des compétences et des emplois, et d'exiger des groupes présents dans les pays européens qu'ils remettent en état les sites qu'ils ont utilisés avant de les quitter. D'une manière générale, au lieu de chercher à attirer à tout prix les investissements étrangers, nous ferions mieux de mettre en œuvre les procédures qui encadreront rigoureusement les comportements des groupes, les empêchant de fermer ou d'organiser la liquidation judiciaire de leurs filiales comme bon leur semble, de quitter un site sans le dépolluer, ou de dégrader la santé sociale des salariés qui ont apporté leur force de travail.

Précisons : comme l'indique de manière tout à fait convaincante Lene Olsen, du bureau des activités des travailleurs au BIT, dans son article intitulé « Favoriser une transition juste. Le rôle des normes internationales du travail [1] », l'OIT a maintenu et développé un système de normes internationales du travail « en tant qu'élément essentiel du cadre international destiné à garantir que la croissance mondiale est bénéfique à tous ». L'article cite les différentes conventions dont l'application sera essentielle au cours du processus de reconversion. Leur adaptation doit permettre d'égaliser les conditions dans lesquelles les pays aborderont celui-ci et d'empêcher que des comportements de free rider ou de dumping social ne découragent les pays les plus innovants. Parmi les conventions citées, la responsable du BIT signale que plusieurs sont déterminantes pour permettre à tous les pays d'engager cette phase avec les mêmes chances de succès : la convention sur les clauses sociales dans les marchés publics de l'État, mais aussi celles qui concernent la politique sociale, la politique d'emploi ou le licenciement. La ratification de ces conventions par le plus grand nombre possible de pays revêt donc un caractère d'urgence, de même que l'amélioration de leur application : l'existence de normes sociales et environnementales strictes apparaît aujourd'hui comme un élément central pour la réussite de la transition écologique. Ce seul fait mériterait que les pouvoirs

---

1. Bureau international du travail, « Changement climatique et travail : les objectifs d'une transition juste », art. cité.

dévolus au Bureau international du travail soient bien plus importants que ceux actuellement détenus par l'Organisation mondiale du commerce (OMC) et que la fameuse question de l'intégration ou non des normes sociales dans les critères pris en compte par l'OMC soit remise sur le métier.

Un tel processus (encadrement éthique de la production, reconversion des secteurs polluants vers des secteurs propres, dématérialisation de l'économie, concentration sur des activités plus intenses en intelligence et en relations et moins en dépenses d'énergie, mise en place de politiques publiques et d'institutions organisant la transition à moindres coûts humains) exige ou bien une totale coopération de la part des acteurs privés, ou bien la mise en place d'une économie de guerre ou de crise, comme celle que décrivait Lord Beveridge dans son rapport de 1944, *Full Employment in a Free Society*[1]. Nombreux sont les auteurs à indiquer que l'ampleur de la triple crise à laquelle nous sommes confrontés – économique, sociale et écologique – suppose en effet l'adoption de politiques et de moyens radicalement différents de ceux qui prévalent en temps normal.

Le rapport de 1944 considérait le plein-emploi comme l'un des piliers essentiels d'une société libre. Il y a plein-emploi, écrit Beveridge, lorsqu'il y a toujours davantage d'emplois vacants que de chômeurs, ces emplois étant rémunérés à des salaires équitables et étant d'une nature et d'une localisation telle que l'on peut raisonnablement s'attendre à ce que les chômeurs les acceptent. Quatre conditions permettaient, selon Beveridge, d'assurer le plein-emploi. Premièrement, il faut maintenir, en tout temps, un montant de dépenses

---

1. Lord Beveridge, *Full Employment in a Free Society*, 1944.

suffisant. La réalisation de cette condition passe par d'importantes dépenses communales pour les biens et services non destinés à la vente tels que routes, écoles, hôpitaux, travaux de défense nationale... Elle passe aussi par des investissements publics massifs dans le secteur de l'industrie. Les investissements privés doivent être strictement réglementés. Une politique de bas prix pour les produits de consommation essentiels doit être mise en œuvre, et une vraie redistribution des revenus doit être organisée par le système de sécurité sociale et de l'impôt progressif. La deuxième condition consiste à exercer un contrôle sur la localisation de l'industrie. Il s'agit tout simplement d'interdire aux entreprises de s'implanter dans certains endroits et de les encourager à la « localisation désirable ». Ces mouvements doivent être organisés et régulés par une autorité centrale chargée d'élaborer un plan national pour l'ensemble du pays.

La troisième condition est d'organiser la mobilité de la main-d'œuvre : de la même façon que pour les entreprises, le rapport indique qu'il faudra procéder par l'encouragement et le découragement des déplacements. Les citoyens devraient considérer comme un devoir « qu'en cas d'une demande à un salaire équitable, les personnes au chômage depuis un certain temps acceptent le travail disponible au lieu de ne vouloir travailler indéfiniment que dans leur propre profession et localité »... La quatrième condition est encore plus importante, et la comparaison avec la situation actuelle est intéressante. On ne doit avoir des relations commerciales qu'avec les pays qui respectent les principes suivants : poursuivre une politique de plein-emploi ; assurer la balance de leurs comptes en évitant tout déficit et tout excédent ; exercer un contrôle total sur le commerce par des tarifs, contingents ou autres moyens. « On ne développera d'échanges multilatéraux qu'avec ces pays que l'on pourrait appeler "éthiquement convenables". Évidemment, tous ces principes doivent être actualisés, et adaptés à notre époque, notamment à la double contrainte du respect des normes environnementales et sociales que nous avons adopté comme objectif. Mais retenons qu'un libéral tel que Beveridge ne considérait pas que la liberté individuelle était remise en cause par l'exercice concret par l'État de la responsabilité éminente qui lui incombait dans ces circonstances.

Engager nos pays dans la voie de la transition écologique exige aujourd'hui un pilotage de l'État sans doute aussi ferme qu'au moment de la Seconde Guerre mondiale et de la reconstruction, lorsque la comptabilité nationale et la planification furent développées de façon étroitement intégrée. Comment la définition des secteurs dont la reconversion doit être engagée au plus vite n'exigerait-elle pas de la part de l'État la mise en place d'un véritable processus de planification ? Comment pourrait-elle se passer de la définition d'une prospective des métiers et des qualifications ambitieuse, élaborée au terme d'un vaste travail de réflexion avec les partenaires sociaux et les scientifiques de toutes les disciplines, permettant de définir à la fois les secteurs et les métiers d'avenir ? Par intervention plus intense de l'État, il faut entendre une définition plus collective des besoins sociaux prioritaires à satisfaire, résultat d'une délibération commune sur la production socialement utile. La prise en compte de considérations éthiques par le biais de l'indicateur de progrès ne signifie pas autre chose que la nécessité de réencastrer la production dans un processus de choix collectif encadré par des critères précis.

CHAPITRE 18

Définir des règles de répartition de la charge et du financement : où il est montré que la reconversion écologique suppose un processus radical de redistribution des revenus et de démocratisation

Un pays, une région, une ville peuvent-ils se lancer seuls dans une telle entreprise ? Que penser de cette multitude d'initiatives locales, régionales, nationales : les villes en transition anglaises, les conférences citoyennes françaises sur les nouveaux indicateurs de richesse, la sortie allemande du nucléaire, les jardins partagés en ville un peu partout... ? Un pays peut-il s'engager seul dans la transition écologique, en tentant de relocaliser ses productions, en déterminant de nouveaux critères, sociaux et environnementaux, pour la distribution des aides publiques, en réorganisant sa fiscalité, en lançant un programme décennal d'isolation thermique des logements ? Un pays seul peut-il montrer l'exemple, servir de laboratoire ? Les risques encourus ne sont-ils pas trop élevés : augmentation des coûts de production, refus du secteur privé de jouer le jeu, coût astronomique des investissements à engager, retour sur investissement trop faible et trop tardif, question lancinante des plus pauvres, risque de concurrence déloyale de la part des pays voisins ?

Évidemment, un accord international, qui fixerait les objectifs de réduction des émissions de GES pour les vingt ans à venir et répartirait la charge de celles-ci entre l'ensemble des nations, serait infiniment plus confortable. Ces objectifs pourraient être intégrés dans les nouveaux indicateurs de progrès des nations et chacune, ainsi pourvue de sa règle de justice et protégée du dumping par les normes sociales et environnementales mondiales, s'engagerait avec confiance dans la reconversion écologique... Hélas ! il est bien loin, cet accord qui permettrait de s'entendre sur un niveau de réduction général accepté par tous et sur un partage raisonnable du « fardeau »...

La répartition des quotas de GES à l'échelle mondiale constituerait en effet un acte politique majeur car elle impliquerait d'intégrer des critères éthiques dans la marche du monde. Elle obligerait à prendre en considération cette réalité historique : les pays les plus riches ont davantage contribué à la pollution et à la dégradation du patrimoine naturel, mais ils sont également parvenus à délocaliser les productions les plus indécentes vers les pays pauvres du Sud, ce qui signifie que la question environnementale et la question sociale sont liées de façon extrêmement étroite.

Comme le courant de la justice environnementale l'a mis en évidence, les pays pauvres du Sud sont à la fois ceux qui sont les moins développés économiquement, ceux qui ont hérité des productions les plus irrespectueuses en matière sociale et environnementale et ceux qui sont les plus menacés par les probables dégradations du climat. La répartition mondiale des quotas de GES devrait donc théoriquement corriger ces inégalités historiques. Un tel déséquilibre supposerait également, avant même que soit engagée une transition qui comporte des risques en matière de distribution globale des revenus, une redistribution massive (des revenus, des technologies, des brevets…) des pays du Nord vers les pays du Sud les moins développés ainsi qu'à l'intérieur des sociétés du Nord. Car nous disposons aujourd'hui des preuves que les plus riches sont également les plus gros émetteurs de GES, les plus « lourds » en matière d'empreinte écologique. Joan Martínez Alier rappelle [1] qu'en moyenne un citoyen américain émet quinze fois plus d'émissions de dioxyde de carbone qu'un citoyen indien, et il demande que soit prise en compte « la dette écologique que le Nord a contractée envers le Sud à cause d'un commerce écologiquement inégal, du changement climatique, de la biopiraterie et de l'exportation des déchets toxiques ». Posant la question centrale : quelle est la solution à cet « énorme conflit écologico-distributif » ?

Dès 1992, dans le premier numéro de la revue *Écologie politique*, le même auteur rappelait la nécessité de tenir compte de la dette écologique pour établir les principes de cette répartition : « Si l'on instaure des politiques environnementales basées sur des crédits de pollution en CO_2 (soit en établissant des limites supérieures obligatoires, soit en taxant les émissions au-dessus d'une limite donnée), elles devraient inclure pour chaque pays la totalité des émissions de CO_2 accumulées dans le passé, sinon depuis la révolution industrielle, au moins depuis 1900 (on pourrait aussi soutenir que ces crédits de pollution devraient être calculés par tête, et non par pays). Les idées contraires (remise des compteurs à zéro, crédits de CO_2 calculés

---

1. Joan Martínez Alier, « Conflits écologiques et langages de valorisation », art. cit.

sur une base nationale) ont déjà été proposés par l'establishment écologique nord-atlantique. Ainsi, les programmes d'ajustement recommandés par le FMI de l'écologie pourraient consister, pour certains, à réduire les émissions de CO_2 en réduisant la consommation au kilomètre de leur automobile ; pour d'autres, à réduire leur consommation domestique de bois grâce à des fours plus perfectionnés ; pour d'autres encore, les plus pauvres, probablement à exhaler moins de CO_2 en respirant plus lentement, voire en cessant complètement de respirer (ou du moins à réduire les émissions de méthane – un autre gaz fauteur de l'effet de serre – en faisant pousser moins de riz) [1]. »

Les pays développés ne l'entendent pas de cette oreille. Dans « La justice environnementale [2] », Catherine Larrère rappelle que le président Bush avait déclaré en 2000 qu'il n'était « pas question que les États-Unis prennent en charge de nettoyer l'air comme le traité de Kyoto voulait les forcer à le faire », alors que la Chine et l'Inde en étaient dispensées. Les deux solutions extrêmes paraissent tout aussi improbables : laisser le Nord prendre à sa seule charge la réduction des émissions de GES tandis que les pays émergents continuent de se développer, ou demander à chacun de faire le même effort. Alex Gosseries a exposé les solutions de répartition de la charge proposées par les différentes théories de la justice : répartition égale suggérée par une conception égalitaire, répartition inversement proportionnelle au PIB par habitant, respect d'un minimum

1. Joan Martínez Alier, « Valeur économique, valeur écologique », *Écologie et politique*, n° 1, janvier 1992.
2. Catherine Larrère, « La justice environnementale », *Multitudes*, n° 36, 2009/2, 2009.

vital pour chaque pays... Quelle que soit la solution finalement adoptée, il faudra bien définir des objectifs finaux et intermédiaires et fixer des quotas à chaque pays, et sans doute, à l'intérieur de chaque pays, à chaque entreprise et chaque personne puisqu'il s'agit de biens communs vitaux disponibles en quantité globale limitée. Que l'on accepte une théorie égalitaire ou que l'on cherche à organiser une convergence, dans tous les cas, la question des inégalités entre pays et à l'intérieur de chaque pays est centrale : comment justifier ces inégalités en situation de restriction ? Comment supporter que certains consomment cent fois plus que les autres et dégradent cent fois plus le patrimoine commun ?

La détermination d'objectifs chiffrés de réduction des émissions de GES et des programmes de réforme de nos modes de consommation et de production exige une forte cohésion nationale, une réelle capacité des pays à passer des accords internationaux, et l'acceptation par les plus privilégiés, au nom du bien commun de l'humanité, de mesures drastiques de redistribution. Elle exige aussi la mise en œuvre de procédures radicalement innovantes.

En l'absence d'un accord international sur la répartition de la charge de réduction des GES, il est difficile d'imaginer qu'un continent et *a fortiori* un pays s'engage seul dans un processus de reconversion écologique, notamment en raison des risques de dumping de la part des autres nations et de l'importance des investissements à consentir. L'Union européenne a pourtant pris des engagements de réduction élevés, de manière unilatérale. Comment pourra-t-elle y faire face ? Les études évoquent, pour la réalisation des investissements nécessaires dans la rénovation thermique des bâtiments, l'écomobilité et le verdissement des processus industriels en Europe, un montant d'environ 300 milliards par an. Mais comme le rappelle Gaël Giraud, ni le secteur privé ni les États membres de l'Union européenne ne sont actuellement en mesure de s'engager dans une telle opération, les premiers parce que la rentabilité de celle-ci est insuffisante, les seconds parce qu'ils ne disposent pas aujourd'hui des fonds nécessaires. Seule une banque ou un fonds européen alimenté par un mixte de création monétaire et de fiscalité pourrait assurer la gestion sur plusieurs décennies d'un tel processus. Ce qui supposerait non seulement la rédaction d'un nouveau traité européen (l'actuel interdisant de telles opérations), mais un vaste processus de redistribution à l'intérieur de l'Europe, entre pays, et à l'intérieur de chaque société, entre les plus et les moins aisés.

En ce qui concerne le financement, il existe plusieurs solutions. L'une d'entre elles, portée en France par Alain Lipietz[1], vise à ce que ce rôle échoie à la Banque européenne d'investissement (BEI), contrôlée par le Parlement. Les emprunts des États auprès de cette banque ne seraient pas comptabilisés dans leur endettement. La BEI se refinancerait à taux zéro auprès de la Banque centrale. Marie Cohen, Alain Grandjean[2] et la Fondation Nicolas Hulot[3] proposent pour leur part que la Banque centrale européenne assure ce rôle,

---

1. Alain Lipietz, *Green Deal. La Crise du libéral-productivisme et la réponse écologiste,* Paris, La Découverte, 2012.

2. Marion Cohen et Alain Grandjean, « Mettre la création monétaire au service de la transition écologique, économique et sociale », *L'Économie politique,* n° 52, octobre 2011, p. 100-112.

3. Note de la Fondation Nicolas Hulot, « La nécessité de se doter d'une banque de la transition écologique », 29 octobre 2012.

en déléguant à des agences nationales des enveloppes de financement dont l'usage serait fléché. Les investissements de la transition pourraient être sortis du déficit et traités comme des immobilisations, donc amortis comme tels. Gaël Giraud défend lui aussi l'idée d'une réforme de la BCE[1], placée sous contrôle démocratique et contribuant à financer la transition écologique par le biais d'un mélange de création monétaire et de recours à l'épargne.

Par ailleurs, on peut supposer que si un accord aboutit au niveau international, il obligera immanquablement à une redistribution entre pays développés et peu développés. Comment ces derniers accepteraient-ils de renoncer en partie à atteindre les standards américains ou européens[2] sans un effort des pays les plus développés ? Et comment demander des sacrifices à tous sans en demander plus à ceux qui sont actuellement les plus gros producteurs d'émissions de GES ? Jackson n'est pas le seul à défendre l'idée que le financement de la transition écologique devra s'accompagner de transferts bruts de ressources, voire d'innovations technologiques, des pays développés vers les pays émergents et en développement.

La question se pose de la même manière si nous considérons l'engagement dans la transition écologique au seul niveau européen : les prélèvements ne pourront pas non plus s'opérer de manière proportionnelle sur les plus pauvres et les plus riches. Ces derniers, membres des sociétés les plus riches ou membres les plus riches

---

1. Gaël Giraud, « Banque publique d'investissement, la mal nommée », *Projet*, octobre 2012 ; *Illusion financière*, les éditions de l'Atelier, 2012.

2. Qui ne sont pas généralisables : il faudrait plusieurs planètes.

des sociétés européennes, devront accepter de participer plus que proportionnellement au financement de la transition. Cette question sous-tend les discussions sur la taxe carbone ou la fiscalité sur le diesel : augmenter uniformément ou forfaitairement les prélèvements sur les combustibles issus de l'énergie fossile met les ménages les plus modestes, déjà en situation de précarité énergétique, en grande difficulté. L'augmentation de la fiscalité écologique ne pourra se développer qu'avec des règles de justice strictes consistant ou bien à reverser aux plus modestes des aides équivalentes aux prélèvements, ou bien à faire prendre en charge le coût supplémentaire par la collectivité et les entreprises. On peut par exemple imaginer que l'augmentation de la fiscalité sur le diesel soit compensée par le cofinancement des frais de déplacements en transport en commun des travailleurs par les entreprises et les collectivités régionales.

S'engager dans l'indispensable transition écologique nécessite dans tous les cas des décisions innovantes – accords internationaux, révision des traités européens, redistribution, normes environnementales et sociales – qui vont à l'encontre des pouvoirs établis. Pourquoi des responsables politiques cherchant à se faire réélire prendraient-ils le risque d'affronter les intérêts des multinationales, des actionnaires, des banques, mais aussi des ménages modestes qui pensent que la transition écologique se fera à leur détriment. C'est la question centrale posée depuis plusieurs années par Dominique Bourg qui milite pour que les intérêts de long terme, et des générations futures, soient représentés d'une manière spécifique, par exemple par un conseil de sages ou un Sénat qui disposeraient d'un droit de veto, de manière à ce que les intérêts établis ne puissent pas étouffer ceux des générations futures. Sans ce type de mécanisme, argumente Bourg, les pressions du court terme seraient trop fortes et risqueraient de laisser place à la « tyrannie bienveillante » qu'évoque Hans Jonas, seule capable de réformer l'action publique dans un sens favorable aux intérêts de moyen long terme de l'humanité.

Soulignons-le fortement : contre les intérêts de court terme, seule une intense activité démocratique est susceptible de promouvoir le nouveau modèle de développement que nous appelons de nos vœux. Elle est nécessaire pour choisir les nouveaux indicateurs, et pour soutenir l'ensemble de la démarche consistant à relocaliser l'économie et redistribuer les revenus. Elle l'est aussi, dans les entreprises et en dehors de celles-ci, pour déterminer les productions les plus susceptibles de répondre aux besoins humains au moindre coût environnemental et social, pour concentrer les efforts sur les productions les plus durables, et pour faire le tri, parmi les productions actuelles, entre celles qui constituent un énorme gaspillage d'environnement, de travail et de temps humain et n'ont d'autre utilité que de satisfaire le désir sans fin d'un seul et celles qui contribuent à la satisfaction des besoins de tous et constituent un véritable progrès. Où l'on retrouve l'« autre solution », l'autre branche de l'alternative qui existait au XVIIIe siècle, représentée par Rousseau : la détermination commune de la production nécessaire, la délibération commune sur ce qui compte et sur les actions collectives à entreprendre. Nul doute qu'un tel « constructivisme », un ordre construit, souhaité et humain soit considéré comme une folie aux yeux des partisans de l'ordre spontané dont le meilleur représentant est Hayek. Mais l'ordre spontané a montré ses limites radicales : notre situation actuelle n'en est-elle pas un résultat direct ?

Ce type de solution revient aussi à « politiser » – au sens de rendre politiques, remettre sur la table de la discussion collective – les questions de la production, de la consommation et du travail, c'est-à-dire, comme le suggérait également Isabelle Ferreras pour l'entreprise, à réintroduire la discussion démocratique à l'intérieur même de ce qui en était tenu écarté depuis le XVIIIe siècle, depuis la séparation de l'économie et de l'éthique. Elle suppose de réintroduire partout où cela est possible, en lieu et place des décisions imposées par le marché, la délibération collective : au niveau national dans les grands choix de production, dans les entreprises pour le choix des méthodes et de l'organisation, au niveau international dans la détermination des quotas d'émissions de GES qui seront attribués à chaque pays.

CHAPITRE 19

Prendre soin du monde : où il est proposé que l'être humain devienne le jardinier de la Terre

Le nouveau modèle de développement que nous souhaitons ne se limitera pas à utiliser d'autres sources d'énergie ou à consommer d'autres biens et services. Il devra aussi – et peut-être avant tout – se traduire par de nouvelles façons de produire, c'est-à-dire par l'instauration, au cœur même de l'acte de production, de nouvelles manières de mobiliser les « facteurs de production » : le travail humain et la nature. En quoi pourraient consister ces nouvelles manières de faire ? C'est sans doute Aldo Leopold qui le suggère de la manière la plus claire.

À la fin de l'*Almanach d'un comté des sables*, revenant sur l'idée que « notre problème actuel est un problème d'attitudes et de mise en œuvre », il oppose une manière *violente* de produire et de forcer la terre, qui vise à créer un milieu artificiel et à n'utiliser la terre qu'en vue de son rendement et une manière plus douce, consistant à gérer l'environnement naturel, et allant de pair avec la prise en compte de la qualité de ce qui est produit : « Le kilo, le quintal et la tonne ne sont pas l'unique mesure de la valeur nutritive des récoltes : les produits issus d'un sol fertile peuvent être supérieurs, d'un point de vue qualitatif aussi bien que quantitatif. » Ce verbe, « gérer », aujourd'hui galvaudé, est également celui que mobilise Bertrand de Jouvenel, dans son texte « Jardinier de la terre[1] » : il oppose, comme Leopold, l'attitude du maître, poussé par l'esprit de conquête, à celle du bon gestionnaire : « Nous nous flattons d'être maîtres de la Terre. Mais un propriétaire ne doit-il pas être le gestionnaire de son domaine ? Ne doit-il pas le soigner aussi bien que l'utiliser ? Ne se délecte-t-il pas de sa beauté en même temps qu'il jouit de ses fruits ? »

Pouvons-nous introduire au cœur de l'acte de production une prise en considération systématique de la manière dont sont mobilisés les facteurs de production utilisés, travail et nature ? Est-il possible d'évaluer la qualité de l'acte productif à l'aune de sa capacité à économiser et à mieux prendre soin des ressources, humaines et non humaines, qu'il utilise, de manière à comptabiliser ces gains de qualité que Gadrey considère désormais comme l'objectif prioritaire ? Peut-on recourir au concept de soin – comme le fait Jouvenel – ou à celui de *care*, réactualisé ces dernières années, pour désigner cette manière « plus douce » de procéder ? Peut-on raisonnablement étendre l'usage de ces termes au rapport qu'entretiennent les hommes et la nature au cours de l'acte productif ? En un mot, peut-on soutenir par exemple que nos modes de production devraient désormais « prendre soin » du monde ?

Répondre suppose de partir à la recherche des fondements théoriques d'une éthique et d'une politique visant à respecter la nature. Les éthiques environnementales

---

1. In *Arcadie. Essais sur le mieux-vivre, op. cit.*

peuvent-elles fonder la nécessité d'une transformation de nos activités quotidiennes dans le sens d'une plus grande attention portée à la nature, à notre commune dépendance ? Peuvent-elles devenir des éthiques du *care* ? *A contrario*, les éthiques du *care* développées par les féministes américaines et mobilisées principalement pour décrire les relations interhumaines peuvent-elles s'appliquer à la nature ? Peut-on envisager un continuum entre ces deux éthiques, qui nous permettrait de penser ensemble soins aux humains et soins à la nature et ainsi de repenser les contours d'un agir humain *attentionné* (qui me semble aller plus loin qu'un agir *économe*) ?

Aux États-Unis, dans un sillage d'abord spécifiquement moral et féministe, les travaux de Joan Tronto[1] ont ouvert une voie de recherche précieuse et apparemment très adaptée à notre questionnement. Dans son ouvrage *Un monde vulnérable. Pour une politique du care*, la philosophe propose une définition du *care* selon laquelle il s'agit d'« une activité générique qui comprend tout ce que nous faisons pour maintenir, perpétuer et réparer notre "monde", de sorte que nous puissions y vivre aussi bien que possible. Ce monde comprend nos corps, nous-mêmes et notre environnement, tous les éléments que nous cherchons à relier à un réseau complexe, en soutien à la vie », précisant un peu plus loin que le *care* « ne se limite pas aux interactions que les humains ont avec les autres. Nous y incluons, précise-t-elle, la possibilité que le soin s'applique non seulement aux autres mais aussi à des objets et à l'environnement. »

---

1. Joan Tronto, *Un monde vulnérable. Pour une politique du care*, Paris, La Découverte, 2009.

Tout se passe comme si nous tenions, avec cette définition, de quoi déployer une politique de prise en compte des troubles que connaît notre planète, de quoi la soigner, la réparer et prévenir la formation de nouveaux dysfonctionnements. Dans ce cas, l'agir est bien pensé comme susceptible de prendre soin des humains et des non-humains, sans solution de continuité. Malheureusement, s'interrogeant sur l'extension du concept et cherchant à préciser le périmètre de son usage, Tronto opère des distinctions au sein de l'activité qui rendent complexe, sinon impossible, son application concrète au monde.

Elle poursuit en effet ainsi : « Toute activité humaine ne renvoie pas au *care* [...] Si le *care* peut produire du plaisir et que des activités créatrices peuvent être entreprises dans le but de procurer un soin, nous pouvons reconnaître le *care* lorsqu'une pratique a pour but le maintien, la perpétuation ou la réparation de notre monde. » L'un des moyens de délimiter le *care* consiste à dire ce qu'il n'est pas. Parmi les activités de la vie qui, d'une manière générale, ne relèvent pas du *care*, nous pouvons probablement inclure ce qui suit : « La recherche du plaisir, l'activité créatrice, *la production*, la destruction. Jouer, accomplir un désir, mettre sur le marché un nouveau produit ou créer une œuvre d'art ne relèvent pas du *care*. » Une importante partie des activités humaines, et en premier lieu celles qui posent le plus de problèmes dans nos rapports avec la Nature, les activités de production, sont donc exclues de la définition du *care* notamment parce qu'elles n'ont pas pour but de prendre soin.

Deuxième problème, Tronto indique que dans le *care* « la prise en compte des besoins des autres est décisive pour guider l'action » et exige de la reconnaissance de la part de celui qui a reçu le soin. En effet, la philosophe décompose le *care* en quatre phases : se soucier de (le *care* implique en premier lieu la reconnaissance de sa nécessité. Il implique donc de constater l'existence d'un besoin et d'évaluer la possibilité d'y apporter une réponse) ; prendre en charge (assumer une certaine responsabilité par rapport à un besoin identifié et déterminer la nature de la réponse à lui apporter) ; prendre soin de (qui suppose la rencontre directe des besoins de *care*) et recevoir le soin, qui « correspond à la reconnaissance de ce que l'objet de la sollicitude réagit au soin qu'il reçoit ».

Mais comment la nature manifesterait-elle des besoins avant l'intervention du soin et de la reconnaissance après ? Curieusement donc et de manière assez frustrante pour ses lecteurs, alors qu'elle inclut « l'environnement » dans ce qui peut constituer l'objet de notre soin, Tronto ne nous fournit ni le fondement théorique ni les instruments qui nous permettraient d'appliquer sa théorie et de mettre en œuvre une éthique du *care* adaptée à la nature.

Ce sont donc d'autres auteurs qu'il nous faut mobiliser. Et d'abord Jouvenel, qui écrivait dès 1967 que nous devrions éprouver « un respect attendri pour la vulnérabilité du système dont dépend notre existence » et que le temps est venu pour nous « de cultiver notre jardin ». Hans Jonas ensuite, qui ne semble pas avoir lu Jouvenel, mais considère également que la révolution technologique et les pouvoirs dont dispose l'homme rendent désormais la Terre vulnérable et exigent le développement d'une éthique radicalement nouvelle, dans laquelle l'homme doit devenir en quelque sorte le gardien de la Terre et de la possibilité de la vie sur Terre. « La biosphère tout entière, écrit-il, est devenue un bien confié à l'homme et a des prétentions morales à notre égard. Il nous faut donc étendre la reconnaissance de fins en soi au-delà de la sphère de l'homme et intégrer cette sollicitude dans le concept du bien humain. » Jonas met donc comme Jouvenel la vulnérabilité de la Terre (pensée tout uniment comme nature et comme habitat de l'homme) au fondement de la nouvelle éthique de l'agir humain et en tire l'idée que nous avons des obligations à l'égard de ce qui n'existe pas encore. Et alors que les éthiques environnementales étaient jusqu'alors plutôt individuelles, Hans Jonas en appelle non pas à une action privée mais à une action collective : « C'est l'acteur collectif et l'acte collectif et non l'acteur individuel ou l'acte individuel qui jouent ici un rôle [...] L'essence transformée de l'agir humain modifie l'essence fondamentale de la *politique*. »

L'exemple que prend Jonas pour illustrer notre responsabilité, même si les non-humains n'ont pas les moyens d'exprimer leurs besoins, rappelle que le « prendre soin » est au cœur de son propos. Il propose de prendre comme modèle de responsabilité à l'égard des générations futures la relation des parents à leur nouveau-né : ils sont responsables de cet enfant sans en attendre aucun retour, de manière inconditionnelle. On peut donc se soucier de quelqu'un ou de quelque chose sans que cette chose vous ait sollicité ou sans en attendre de retour, de réciprocité. Un parent ne se préoccupe pas de son enfant parce qu'il en attend une reconnaissance.

Dans l'importante contribution que représente le livre dirigé par Sandra Laugier, intitulé *Tous vulnérables ?*, Catherine Larrère[1] apporte à son tour une

---

1. Catherine Larrère, « Care et Environnement. La Montagne ou le jardin », in Sandra Laugier (dir.), *Tous vulnérables ?*, Paris, Payot, coll. « Petite Bibliothèque Payot », 2012.

forme de réponse en soutenant, dans le sillage de Val Plumwood, que les éthiques du *care* n'exigent pas la réciprocité. Dès lors, le fait même que la Terre ne se soucie pas de nous ni n'exprime de revendications ne signifie en aucune manière que nous ne devons pas nous soucier d'elle. Comme Jonas et Callicot, elle admet que ce n'est pas la Terre ou la planète elles-mêmes qui nous intéressent, mais bien les générations futures dans leur habitat, la relation d'interdépendance entre les futurs humains et leur demeure, la vie et ses conditions de possibilité. Ce qui est fragile, vulnérable, c'est nous, écrit Larrère, « mais le nous n'est pas limité aux seuls humains. C'est le "nous" que nous formons avec l'ensemble des relations que nous avons avec les non-humains, animaux, plantes, ensembles naturels avec lesquels nous partageons un monde commun. Le monde commun est bien un monde vulnérable. Il relève donc du *care*. »

Nous avons donc bien le devoir de prendre soin de notre environnement, de la Nature, de notre planète non pas parce que celle-ci aurait des droits sur nous, mais parce que prendre soin de la planète c'est prendre soin de la demeure commune aux habitants actuels et futurs. Dès lors que nous avons compris que la Terre est vulnérable du fait de nos activités et que, parmi celles-ci, les conséquences de la production forment une part essentielle du problème, il devient évident que l'activité de production doit être la principale cible des transformations à engager. Il s'agit de prendre au pied de la lettre la prescription de Jonas : « Si la sphère de la production a investi l'espace de l'agir essentiel, alors la moralité doit investir la sphère du produire dont elle s'est tenue éloignée autrefois, et elle doit le faire sous la forme de la politique publique. » La sphère de la production doit constituer la principale cible de la transformation de l'agir humain et la politique publique doit définir les critères essentiels du prendre soin que l'activité de production devra respecter[1].

Prenons la mesure d'une telle affirmation : elle signifie qu'il est temps de surmonter la distinction introduite à partir du XVIIIe siècle entre l'économie, censée viser la seule efficacité dans la fabrication de la production et la morale, censée s'occuper des règles encadrant la conduite humaine[2]. Qu'il nous faut définitivement réencastrer la sphère de l'économique – ses objectifs et ses moyens – dans des considérations éthiques et politiques, la subordonner à celles-ci. Plus concrètement, cela signifie que l'acte de production devrait être entièrement reconsidéré : nous ne pouvons plus l'envisager comme un acte individuel anodin évalué à la seule aune d'une efficacité mesurée par la contribution à l'augmentation du PIB – l'efficacité se calculant alors en points de valeur ajoutée. C'est un

---

1. Pascale Molinier ne dit pas autre chose dans *Le Travail du care*, Paris, La Dispute, 2013.
2. Distinction si magnifiquement critiquée par Eugène Buret dans *De la misère des classes laborieuses en Angleterre et en France*, Paris, Paulin, 1840. Racontant la manière dont l'économie politique est peu à peu devenue, sous l'influence des Anglais « une science aussi abstraite que celle des nombres, sans plus de rapport que la géométrie avec la politique ou la morale », Buret précise : « L'économie politique prend alors à tâche de se séparer complètement de la politique et de la morale ; elle aspire à former une science tout à fait positive comme les mathématiques et à ce titre, elle réclame pour ses principes les privilèges de la certitude absolue. » Indiquant plus loin : « La théorie de la richesse ne peut ni ne doit constituer à elle seule une science, parce que les faits sur lesquels on l'établit sont liés de manière indissoluble à des faits de l'ordre moral et politique, qui en déterminent la signification et la valeur. »

acte lourd de répercussions géographiques et temporelles, un acte dont l'impact, la trace, l'empreinte peuvent être mis en évidence et mesurés, un acte produisant des biens et des maux qui peuvent être calculés du point de vue de la quantité de valeur ajoutée, mais aussi du point de vue du prélèvement opéré sur les ressources renouvelables et non renouvelables, de la quantité de gaz à effet de serre produits, de la dégradation des nappes phréatiques... Si la production a des effets sur les conditions de vie de l'ensemble de l'humanité, présente et à venir, si elle engage profondément la responsabilité de ses auteurs, alors la production devrait être considérée comme un acte impérativement encadré par des règles et des normes décidées collectivement et être évalué à l'aune de sa capacité à prendre soin du milieu dans lequel il intervient.

Cela revient à enserrer l'acte productif dans des normes, dans des contraintes qui bien que physiques n'en sont pas moins éthiques. Il ne s'agit pas d'arrêter de produire ou de toucher à la Nature, mais de satisfaire les besoins humains sous contrainte absolue du respect d'objectifs physiques décidés collectivement. Il s'agit en définitive de réencastrer l'économie dans une éthique et une politique, et donc dans une conception plus large (nationale, mondiale) de l'utilité commune, de réapprendre à parler du point de vue de l'intérêt commun.

Cette nouvelle façon de penser les modalités du faire par rapport à son résultat nous invite à un rééquilibrage radical de nos activités ainsi qu'à une réévaluation de leur valeur respective. Jusqu'alors, les seules activités humaines « reconnues » et « valorisées » par le PIB – par notre actuel indicateur de progrès – étaient celles qui présentaient la double caractéristique de mettre sous la forme de l'usage ET de conduire à l'appropriation de ce bien ou de ce service par une autre unité, que cette appropriation soit marchande ou non marchande ou à son usage. L'introduction de nouveaux critères éthiques dans la production, l'exigence de produire en respectant des normes sociales et environnementales devraient conduire à une nouvelle classification éthique des activités.

Les activités recouvrant du travail au sens strict (c'est-à-dire se présentant sous la forme juridique du travail salarié ou indépendant) ne seraient appréciées et valorisées que pour autant qu'elles seraient « légères » du point de vue de l'impact sur le patrimoine naturel et la santé sociale. Plus une activité s'apparenterait à un service relationnel dont le développement nécessite une faible utilisation et une faible dégradation des ressources naturelles, plus elle serait considérée comme éthiquement convenable au regard des critères de notre nouvel indicateur de progrès. De ce fait, beaucoup d'activités se trouveraient soudainement considérablement revalorisées. Et d'abord, toutes celles qui consistent à mettre en forme pour l'usage sans que le bien ou service soit approprié par quelqu'un, ce que les comptables appellent la « production non marchande des ménages » et qui est souvent bien plus « légère » socialement et environnementalement que la production « officielle ». Mais aussi les activités qui ne sont pas considérées comme de la production ou comme une mise en forme pour l'usage, mais qui y ressemblent fortement (faire une synthèse des connaissances pour quelqu'un d'autre, éduquer, expliquer, apprendre, habiller, délibérer ensemble sur une question politique…). Et encore toutes celles qui n'ont pas vocation à mettre en forme pour l'usage mais consistent en purs échanges ou relations entre individus (être ensemble, discuter, se promener ensemble, écouter, faire l'amour, jouer, aider, être attentif...) ou en activités personnelles (flâner, rêver, contempler, écouter, se souvenir, lire, écrire, se promener, réfléchir).

Toutes ces activités, exclues, ignorées, méprisées, comptées pour zéro, apparaissent désormais, à côté du travail, comme autant d'activités essentielles, mais légères – leur empreinte physique peut être faible tout en laissant une trace spirituelle profonde –, susceptibles de satisfaire des besoins humains essentiels, constituant un support de sociabilité humaine au moins aussi intense que les activités visant à mettre en forme puis à amener sur un marché.

Nous suivons donc Juliet Schor, qui voit dans le développement de l'autoproduction un des moyens de répondre aux défis auxquels la crise écologique nous confronte, en particulier parce qu'elle libère les individus de leur entière dépendance au marché (disposer d'un jardin permet de nourrir sa famille si l'on n'a pas de travail), mais nous soutenons également que l'autoproduction ou ce que Gorz appelait « les activités autonomes » ou « le travail pour soi » n'est pas la seule catégorie d'activités à devoir être reconsidérée et réhabilitée. Les activités dont la finalité n'est pas de produire – transformer, mettre en forme, rendre propre à l'usage – importent également au plus haut point.

CHAPITRE 20

Élaborer une science interdisciplinaire,
collaborative et engagée : où l'on comprend
que pour dessiner les contours du monde
que nous voulons, nous avons besoin
d'une nouvelle science

Engager la transition, diriger la société vers un état
souhaité que nous aurons collectivement été capables
de décrire de façon précise et dont nous pourrons
détailler les étapes pose la question cruciale du type de
représentation que nous devons mobiliser au service de
cette entreprise. Cette question peut s'énoncer de deux
manières : d'une part, revient-il aux sciences – et à elles
seules – d'élaborer cette représentation à partir de leurs
savoirs spécialisés, ou faut-il que ces derniers soient
simplement mis au service des citoyens et des politiques
qui les mettront en formes et en mots ? D'autre part,
parmi toutes les sciences qui prétendent expliquer le
monde, ses lois et ce qu'il faut faire, quelle est la
science la plus adaptée à représenter de la manière la
plus précise, la plus exacte et la plus convaincante, l'état
du monde vers lequel nous souhaitons aller : avec quel
langage devons-nous décrire le monde désiré de 2050
ainsi que les différentes étapes intermédiaires qui jalon-
nent le chemin y menant ?

L'économie joue aujourd'hui un rôle déterminant, incomparable avec celui d'autres sciences, à la fois en ce qui concerne la description et l'explication des situations actuelles, mais aussi les décisions que nous devrions prendre et l'état du monde désiré. La plupart des économistes, notamment orthodoxes, considèrent, conformément à ce qu'a écrit Lionel Robbins, que « l'économie est la science qui étudie le comportement humain en tant que relation entre les fins et les moyens rares à usage alternatif ». Son champ d'action est donc extrêmement vaste. Étudiant les lois du comportement humain, elle est la science reine de la vie en société mais aussi des rapports entre hommes et nature.

Aujourd'hui hyper-mathématisée, elle énonce des lois qui semblent universellement valables. Les économistes sont devenus les conseillers du prince, à l'intérieur de l'administration (directions statistiques des ministères, cabinets ministériels, Inspection des finances, Direction générale du Trésor, Insee...), comme à l'extérieur (départements d'économie des universités, centres de recherche, instituts, écoles, départements d'étude des banques, institutions internationales...). Le langage économique – sa représentation du réel, ses équations, ses fonctions de production, ses modèles, ses postulats, ses lois – est devenu le langage dominant et universel. Les économistes proposent depuis les années 1970 des règles et des modèles pour penser la gestion des ressources naturelles. Ils sont également parmi les premiers à avoir développé des « modèles », des représentations simplifiées de l'état du monde à venir, écrites dans un langage dont les phonèmes sont les prix, et dont les phrases décrivent des taux de croissance du PIB, de la population, du chômage, de l'emploi.

Le langage économique, dont l'usage s'est banalisé dans l'administration et pour élaborer les modèles prospectifs avec lesquels on construit des scénarios, est aussi le plus courant dans la vie quotidienne et dans les médias. Il semble n'y avoir aucune rupture entre la façon dont on fait ses courses au supermarché et la manière dont marche le monde. Certes, les économistes ne sont pas d'accord entre eux. Certes, ils ne nous ont pas permis d'éviter les dernières crises (que peu d'entre eux avaient prévues). Les « lois économiques » et le langage économique sont malgré tout devenus le critère absolu du dicible. Celui qui ne s'y plie pas est un fou ou un idiot. Le respect des lois de l'économie apparaît aujourd'hui comme le b.a.-ba du management, de la direction d'entreprise, de la culture et de la responsabilité politique. C'est un moyen efficace pour tenir les citoyens à distance des décisions qui les concernent.

Pourtant, l'économie est une discipline très récente, ses prétentions à être une science datent de la fin du XIXᵉ siècle, sa mathématisation est encore plus nouvelle, et la plupart de ses théoriciens reconnaissent que les axiomes sur lesquels elle prend appui n'ont pas de rapport avec la réalité. Une (petite) partie des membres de la discipline ou de disciplines proches mobilisées par l'économie, comme les mathématiques, considèrent que la représentation simplifiée que l'économie propose du monde est fausse et dangereuse.

C'est ce qu'affirme par exemple le mathématicien Nicolas Bouleau [1], qui remet en cause la manière dont les économistes représentent l'environnement, la considérant comme une véritable imposture. La critique des prétentions de l'économie est pourtant malaisée :

---

1. Voir chapitre II, p. 39.

pouvoir la mener de façon rigoureuse suppose de pénétrer au cœur des modèles et des équations qui sont mobilisés. Le faire de l'extérieur est risqué. Le coût d'entrée pour dominer l'ensemble de la discipline et de ses courants est très élevé. On risque à tout moment de s'entendre dire que l'on n'a rien compris à celle-ci et en particulier à ses évolutions les plus récentes. Le faire de l'intérieur, on l'a dit, suppose de rompre avec ses collègues et de mettre sa carrière en jeu. D'où l'importance de ceux qui appartiennent à la discipline et acceptent de révéler au grand jour ses insuffisances. On pense par exemple à René Passet, Bernard Guerrien, Franck-Dominique Vivien, mais aussi à Nicholas Georgescu-Roegen et d'une manière générale aux économistes hétérodoxes qui remettent en cause les hypothèses de travail de l'économie standard et la prétention de celle-ci à régir l'ensemble de la réalité sociale.

Ces économistes militent notamment pour que la discipline économique reconnaisse qu'elle a certes le droit d'affirmer des choses sur un petit canton de la réalité, mais à condition de ne jamais oublier que celui-ci appartient à un monde plus vaste régi par d'autres lois, notamment physiques. Comme René Passet l'a illustré à l'aide d'un schéma où des cercles concentriques de taille différente s'emboîtent les uns dans les autres, l'économie (le plus petit cercle central) concerne une partie de la réalité et des échanges sociaux. Mais ceux-ci relèvent aussi d'autres logiques et s'inscrivent à leur tour dans un monde plus large, la biosphère, déterminée par des lois physiques, au sein de laquelle les rapports monétaires ne signifient plus rien. Les domaines de validité des différentes disciplines sont ainsi « géographiquement » déterminés et aucune discipline ne peut prétendre que ses hypothèses et ses règles concernent l'ensemble de la réalité. La loi de l'offre et de la demande ne pourra pas empêcher que l'accumulation de gaz à effet de serre ne dérègle le climat. La production de biens et de services peut être lue et représentée comme une augmentation de points de croissance, ou de bien-être, ou encore d'émissions de GES.

Dès lors, la question majeure qui se pose est celle de la légitimité des différentes disciplines à imposer leur modèle, leurs théories, leurs axiomes, leurs postulats, leur langage... pour représenter le monde (actuel, de demain, désirable). Dans quel langage devons-nous écrire la représentation du monde souhaité ? Certaines disciplines s'y prêtent-elles plus que d'autres ? Certaines sont-elles plus déterminantes ? Devons-nous écrire le monde de demain en points de PIB/habitant et en langage monétaire, en années de vie/habitant ou en ppm de dioxyde de carbone ? Devons-nous prendre en compte le fait que, les considérations physiques, biologiques et climatiques déterminant l'état de notre planète dans le siècle à venir, c'est donc avec le langage de ces disciplines que nous devrions le décrire ?

Et pourtant, nous avons également besoin de savoir quelle est la correspondance entre les différents types de représentation, c'est-à-dire combien il nous en coûtera pour parvenir à un monde où le dioxyde de carbone sera moins présent. Nous avons besoin de traduire ces différentes représentations dans les autres langages et de pouvoir passer d'un système à l'autre, d'organiser des traductions, des passerelles entre les formalisations des états du monde proposés par les disciplines aux différentes phases de la transition.

Arrêtons-nous un instant sur la question de la discipline « déterminante », celle qui prend en considération les contraintes les plus fortes. De quelle nature sont celles-ci ? Est-il plus contraignant et déterminant de trouver les sommes nécessaires au financement de la transition écologique ou de réduire les émissions de gaz à effet de serre ? Est-il plus contraignant et déterminant de renoncer à construire une autoroute ou un aéroport ou de stopper l'arrêt de la biodiversité ? Les contraintes physiques, climatologiques, biologiques semblent bien les plus décisives. Dès lors, il semble normal que ce soit avec leur langage que nous dessinions l'architecture du monde souhaité et que ce dernier soit exprimé en unités physiques (un monde où les émissions de GES ne conduisent pas à une concentration dans l'atmosphère supérieure à 450 ppm...).

Les contraintes d'ordre physique et biologiques doivent-elles primer absolument sur toutes les autres, ou doivent-elles être mises sur un plan d'égalité avec des considérations de nature économique ? Peut-on accepter une petite dégradation du climat dans certaines parties du monde contre l'autorisation de poursuivre des taux de croissance positifs dans l'ensemble du monde ? Si cette dernière possibilité constituait la condition *sine qua non* pour vivre bien, la question pourrait se discuter. Mais d'autres solutions sont possibles. Et surtout, nous ne connaissons pas les limites au-delà desquelles une petite dégradation du climat se transformera en dérèglement aux conséquences irréversibles. Nous sommes donc pour l'instant obligés de faire comme si – comme si les prévisions des climatologues étaient réalistes, comme si les concentrations de GES qu'elles autorisent constituaient des maxima, comme si les éléments principaux du monde souhaité en 2050 étaient avant tout constitués par ces contraintes physiques.

Il nous faut éviter que des disciplines ignorantes des contraintes naturelles s'autorisent à développer des modèles « en l'air », comme se le permettent toutes les prospectives purement économiques qui combinent différents types de capitaux valorisés de façon exclusivement monétaires et ignorent les données physiques. Nous avons besoin de scénarios prospectifs qui, partant de contraintes physiques, se déclinent sous différentes formes, économiques, sociologiques, géographiques et permettent de passer sans solution de continuité d'un type de représentation à l'autre, d'un type de langage à l'autre [1].

Nous avons aussi besoin de diversité au sein des différentes disciplines. Ainsi, les modèles ne doivent-ils plus raisonner exclusivement en termes de PIB par habitant mais aussi en unités non monétaires, par exemple en termes de ration alimentaire par habitant, mètres carré par habitant, unités de chauffage par habitant. Le PIB ne prend pas en considération l'ensemble des besoins qui sont couverts par l'autoproduction, alors même que l'extension du domaine de celle-ci pourrait constituer une dimension non négligeable des évolutions à venir. Peut-être avons-nous même moins besoin de disciplines qui se succèdent pour ajouter leurs propres hypothèses dans un modèle de base que de disciplines véritablement capables de travailler dès le départ ensemble pour construire un modèle cohérent, une représentation simplifiée mais néanmoins complète et dynamique de l'évolution de notre monde.

---

1. On lira avec profit sur l'ensemble de ces questions le remarquable rapport préparé par le philosophe Tom Dedeurwaerdere, intitulé « Les sciences du développement durable pour régir la transition vers la durabilité forte », qui propose notamment un programme de réforme institutionnelle pour les sciences du développement durable. http://biogov.uclouvain.be/staff/dedeurwaerdere/2013-01-11-rapport%20science%20pour%20DD_FR.pdf.

C'est ce que voulait signifier Jackson lorsqu'il en appelait, dans *Prospérité sans croissance*, à l'élaboration d'une « théorie macroéconomique écologique » et à l'intégration des flux d'énergie et de matière dans les modèles macroéconomiques. C'est également ce que suggérait le vice-président du GIEC, Jean-Pascal Van Ypersele, lors de la séance du premier Congrès interdisciplinaire du développement durable consacrée à la discussion du modèle macro-économique présenté par Georges Bastin et Isabelle Cassiers. Il reprochait à ce modèle d'intégrer des hypothèses physiques beaucoup trop optimistes.

On le voit, l'enjeu consiste à faire coopérer tout au long de l'élaboration de scénarios prospectifs des disciplines différentes, aux postulats et aux hypothèses méthodologiques souvent radicalement opposées. Cela est-il possible ? Peut-on faire travailler ensemble des disciplines aux épistémologies si radicalement différentes ? Faut-il considérer l'économie écologique comme la nouvelle science dont nous avons besoin, suivant ce que suggère Joan Martínez Alier ? « Si l'économie écologique critique l'économie conventionnelle, écrit-il, c'est parce qu'elle oublie la nature dans ses comptes, aussi bien dans ceux des entreprises que dans ceux des gouvernements. L'économie écologique propose de tenir compte des aspects biologiques, physiques, chimiques mais aussi sociaux. La croissance a été de 3%, d'accord, mais que l'économie explique comment il se fait que la pollution a augmenté, ce qui s'est passé avec les fleuves, les forêts, la santé des enfants, en tenant compte de tous les aspects sociaux et écologiques de ces problèmes. »

L'économie écologique accueille aujourd'hui des travaux aux épistémologies encore très diverses. Quel est leur point commun ? Et pourquoi continuer à rassembler ces travaux sous le terme d'économie ? Ne nous faut-il pas une science capable de dépasser les postulats communs à l'ensemble de l'économie ? N'avons-nous pas besoin d'une nouvelle science, spécialisée dans la prospective, capable de s'alimenter aux sources des différentes disciplines mais fondée sur une épistémologie spécifique : elle romprait avec l'ensemble des présupposés datés de l'économie, de la sociologie et d'une manière générale des sciences qui se sont développées aux XVIIIe et XIXe siècles. Celles-ci ont ensuite subi des rafistolages sans jamais repenser radicalement leurs fondements à la lumière des découvertes des années 1970.

Cette nouvelle science, fondée sur une nouvelle épistémologie et des postulats adaptés à un monde que nous savons vulnérable devrait être la résultante d'un travail interdisciplinaire rigoureux. Mais elle ne devrait pas s'y substituer complètement. Nous avons besoin de disciplines aux fondements spécifiques, capables de développer leurs hypothèses dans un champ bien circonscrit. Mais les barrières à la véritable interdisciplinarité sont aujourd'hui trop nombreuses. D'une part, les critères mobilisés pour organiser les carrières incitent les chercheurs à rester profondément ancrés dans leur discipline, à publier dans des revues de plus en plus spécialisées, où ils approfondissent des points très précis au lieu de prendre un recul qui leur permettrait de réinscrire leur objet dans un périmètre plus vaste. D'autre part, le coût d'entrée dans des disciplines devenues hyper-spécialisées est de plus en plus élevé. Si nous disposons de disciplines robustes dans leur canton, nous manquons cruellement d'une science plus générale, moins spécialisée, capable de combiner les points de vue, les échelles et les contraintes dans toute leur diversité.

Nous manquons aussi d'une science engagée, capable d'expliciter à tout moment ses postulats et ses critères de choix à l'attention des citoyens, acceptant d'être interpellée, de justifier ses présupposés et ses méthodes, une science que Martínez Alier nomme « postnormale » et dont les principales caractéristiques devraient être l'humilité, l'indépendance, l'interdisciplinarité, l'engagement. Le monde de 2050 ne peut pas être écrit par une unique discipline, prétentieuse et repliée sur ses évidences. Il doit être écrit par les citoyens, en liaison avec des sciences largement accessibles et dont les résultats doivent pouvoir en permanence être remis en cause. C'est ce que suggère Martínez Alier lorsqu'il écrit : « Les problèmes écologiques sont complexes, interdisciplinaires. Ce sont parfois aussi des problèmes nouveaux du fait qu'ils ont été créés par des industries nouvelles. Les scientifiques, dont les méthodes sont réductionnistes, ont du mal à se mouvoir sur ces terrains [1]. » Il suggère de chercher la solution du côté des discussions où les « activistes écologistes » et les « experts » des universités et des entreprises participent à ces discussions sur un pied d'égalité. C'est ce qu'on appelle l'*activist knowledge*, le « savoir militant ».

---

1. Joan Martínez Alier, « Conflits écologiques et langages de valorisation », art. cit.

CHAPITRE 21

Redéfinir le progrès : où l'on montre
que la reconversion écologique proposée passe
par la réacclimatation des valeurs grecques
au cœur de notre modernité

Engager la transition écologique exige, nous venons
de le voir, de forger un nouveau langage, d'inventer
une nouvelle grammaire, adaptée à la description du
monde que nous voulons. Mais elle nécessite aussi une
stratégie argumentative, un discours susceptible d'entraîner l'adhésion et d'expliquer à nos concitoyens pourquoi il nous faut, sans attendre, prendre les mesures
nécessaires. Plusieurs catégories de discours sont actuellement en lice. Les uns ont été regroupés sous le terme
de « catastrophistes » ; les autres mettent au contraire
l'accent sur les opportunités qu'un nouveau mode de
développement pourrait nous apporter.

Parmi les premiers, on range généralement ceux qui
prônent comme seule solution le renoncement à nos
modes de vie actuels, annoncent des pénuries proches
et des changements irréversibles, auxquels nous ne
pourrons pas faire face sans nous en remettre à un pouvoir autoritaire et promeuvent la réduction de la
consommation et la décroissance. Un tel discours, malgré la part de vérité qu'il comporte, est difficilement

237

audible par les populations, et cela moins que jamais aujourd'hui, alors que les ressortissants des pays européens ou des États-Unis sont tétanisés par la peur du déclassement individuel ou collectif, ainsi que du déclin de l'Occident. Le discours de la reconversion écologique apparaît dès lors comme celui de la double peine : il faudrait se serrer la ceinture une première fois du fait de la crise et des mesures d'austérité subséquentes, puis une seconde fois pour prévenir la crise écologique...

D'où le succès du second discours, qui met l'accent sur la formidable occasion que pourrait constituer cette reconversion et suggère que le ralentissement de la croissance et la fin des énergies fossiles bon marché ne signifient pas nécessairement une régression, un moins. Ils peuvent au contraire constituer une nouvelle voie, n'exigeant en rien le sacrifice de la prospérité et du progrès. La reconversion écologique, ce ne serait donc pas, comme on avait tenté de nous le faire croire jusqu'ici, le retour à l'âge des cavernes, à la bougie et le renoncement au progrès, ce serait une nouvelle conception de la prospérité.

Voilà ce qui explique sans conteste le succès et l'enthousiasme déclenchés par le livre de Tim Jackson ou par celui de Jeremy Rifkin [1] : on peut à la fois engager la reconversion écologique et donc empêcher la catastrophe et continuer à vouloir la prospérité, pour soi, pour ses enfants, pour son pays. Comment parvient-on à ce miracle ? Jackson l'explique très bien. Il existe plusieurs conceptions de la prospérité. L'auteur de *Prospérité sans croissance*, on l'a vu, en recense trois, à la

---

1. Jeremy Rifkin, *La Troisième Révolution industrielle*, Paris, Les Liens qui libèrent, 2012.

suite d'Amartya Sen : la prospérité comme opulence, comme utilité et comme capabilité d'épanouissement. Dans la première conception, la prospérité se confond avec l'abondance matérielle. Jackson rappelle que, comme le réfrigérateur américain est plein à craquer, ce type de prospérité est moins désirable. Les rendements de l'abondance matérielle sont décroissants... Dans la deuxième, la prospérité vient du surcroît de satisfaction procuré par un bien et la prospérité générale se confond avec le montant du PIB. Mais Jackson rappelle la déconnexion désormais bien connue entre l'augmentation du PIB et celle de la satisfaction, et le non moins fameux paradoxe d'Easterlin dont se délectent les économistes : alors que les PIB n'ont cessé de croître depuis les années 1950, la satisfaction n'a pas augmenté de manière proportionnelle[1].

Dans la troisième enfin, la prospérité est liée aux libertés effectives qu'ont les personnes de participer à la vie en société, d'être en bonne santé, d'avoir un emploi... « Une société prospère, écrit Jackson en suivant Amartya Sen, ne peut donc se concevoir que comme une société au sein de laquelle la population dispose partout de la capabilité de s'épanouir sur certains modes élémentaires. » L'ensemble de son ouvrage vise à démontrer que si la croissance est nécessaire aux deux premières conceptions de la prospérité, elle ne l'est pas à la troisième, précisément la seule à être vraiment adaptée aux nouvelles contraintes qui pèsent sur notre développement.

---

1. Les résultats obtenus par Easterlin auraient d'ailleurs été remis en cause par Justin Wolfers et Betsey Stevenson en 2008, comme Olivier Blanchard le soulignait lors de la remise du rapport de la Commission sur la mesure des performances économiques et du progrès social à la Sorbonne le 14 septembre 2009.

S'il fait parfois penser à l'ouvrage de Richard Layard, un économiste britannique qui soutenait, notamment dans *Le Prix du bonheur,* que le travail, la famille et le temps libre étaient les activités les plus génératrices de bonheur et qui plaidait, durant les belles années du blairisme, pour que l'on accorde plus d'attention à l'augmentation des quantités de bonheur qu'à celle des revenus, le livre de Jackson développe surtout une critique de la consommation au moins aussi acerbe que celle que mène l'Américaine Juliet Schor depuis plusieurs années.

Les parallèles entre les deux ouvrages, celui de Jackson et celui de Juliet Schor, *Plénitude,* dont la traduction française vient d'être publiée sous le titre *La Véritable Richesse. Une Économie du temps retrouvé,* sont frappants : même critique de la consommation et de l'augmentation des quantités matérielles comme illusion, du fait notamment de son caractère illimité et indéfini, même analyse de l'individualisme forcené auquel mène la religion de la consommation et de la frustration qu'elle procure, même plaidoyer en faveur du lien social sur le thème : moins de biens, plus de liens. Même convergence heureuse entre la crise écologique et la découverte de l'épanouissement comme principale source de bonheur. Même plaidoyer pour la réduction du temps de travail, plus convaincu chez Juliet Schor, plus utilitariste chez Jackson. Même convocation de notre maître à tous, Weber, dont sont rappelés les propos sur la « cage d'airain » de la consommation dans laquelle les individus sont enfermés, tels des écureuils soumis à l'éternelle tentation d'absorber toujours plus. Même pitié pour ceux qui sont victimes de l'illimitation, de l'absence de mesure et plus généralement de la structure perverse et mimétique de la consommation.

Et pourtant, même si je partage de très nombreuses analyses avec ces auteurs (voir le petit livre que nous avons coécrit avec Juliet Schor ou ma préface à son dernier ouvrage), ces analyses laissent un goût d'inachevé et elles ne sont pas complètement convaincantes[1]. Plusieurs critiques peuvent leur être adressées. En premier lieu, il n'est pas raisonnable de ranger dans une même catégorie – Jackson le reconnaît volontiers – les membres riches et les membres les moins favorisés des sociétés développées, et plus généralement de demander à ceux qui n'ont pas les moyens d'accéder à la satisfaction de leurs besoins essentiels d'y renoncer, alors même que les autres ont, eux, des dizaines de fois les moyens de satisfaire les leurs. Si nous ne redistribuons pas massivement certaines des ressources des plus favorisés vers les moins favorisés, des sociétés riches vers les autres et, à l'intérieur de chaque société, si nous n'engageons pas un processus de profonde réduction des inégalités, nous ne parviendrons pas à convaincre les plus modestes de nos concitoyens d'échanger un surcroît de consommation contre de plus amples « capabilités d'épanouissement ». Ce serait leur proposer d'échanger la proie pour l'ombre.

Par ailleurs, ces ouvrages font l'impasse sur un des aspects éminemment importants de la consommation que nous avions signalé dès les premières pages : le

---

1. Voir, par exemple, les raisons particulièrement fines que donne Jean de Munck dans « Les Critiques du consumérisme », in Isabelle Cassiers (dir.), *Redéfinir la prospérité, op. cit.* ou dans l'ouvrage coordonné par Geoffrey Pleyers, *La Consommation critique. Mouvements pour une alimentation responsable et solidaire*, Paris, Desclée de Brouwer, coll. « Solidarité et Société », 2011.

caractère addictif et profondément gratifiant de l'acte de consommation, dont la structure donne l'illusion d'une totale liberté, à l'instar de l'argent. Tout se passe comme si l'acte de consommation permettait aux individus d'accéder à une double liberté. Liberté de choix, d'abord. Parmi une infinité de produits qui me sont proposés, de taille, de texture, de composition, de toucher, de goût, de prix différents, je peux choisir celui qui me convient, celui qui reflète donc au plus profond ma personnalité, celui qui me permet d'exprimer authentiquement qui je suis. Et lors de l'acte d'achat, je peux de surcroît éprouver une seconde liberté, celle de manipuler librement de l'argent, équivalent universel, symbole indépassable de l'émancipation. Comment restreindre une telle liberté à des individus dont la vie est de plus en plus normée et encadrée par des prescriptions et interdictions diverses, en particulier au travail ? Comment ignorer la fantastique puissance de cet acte, son épaisseur phantasmatique ?

Quels seraient les actes ou les activités qui pourraient procurer le même sentiment de puissance, la même sensation d'émancipation, la même impression de liberté ? Certes, Juliet Schor, bien que consacrant la première partie de son livre à mettre en évidence les effets pervers de la consommation actuelle et notamment de la mode, ne propose pas d'y renoncer, loin de là. Elle suggère que cette activité dont elle reconnaît l'attrait s'exerce sur des produits différents : non plus des produits jetables et non recyclables, mais sur des produits de bonne qualité, durant plus longtemps. Mais l'on voit bien que le fait de consommer des produits durables diminue considérablement le nombre d'actes d'achat (et donc la dose de plaisir associée…). Surtout, ces analyses, si elles renouent avec les visions critiques de la consommation développées par un Veblen, un Baudrillard ou un Simmel, ne s'attaquent pas suffisamment au double enracinement de la consommation dans le système libéral, d'une part, et dans le système capitaliste, d'autre part : elles font l'impasse sur le rôle majeur que joue l'augmentation de la consommation, soutenue par les gouvernements et les systèmes d'incitation comme la publicité, dans la structuration de nos économies.

C'est le troisième point de la critique. Comme Baudrillard l'a bien montré, nous ne pouvons pas seulement en rester à Veblen, à la théorie de la consommation ostentatoire, au souci des individus de se distinguer des autres, à leur appétence pour les gadgets possédés par les autres. La consommation n'est plus, depuis longtemps, un acte purement individuel déterminé par la comparaison avec autrui et le désir mimétique. C'est une activité essentielle pour la dynamique sociale, produite, soutenue, supportée, fabriquée par les nombreuses institutions qui en vivent. « La consommation » est ce qui soutient la croissance. La publicité a pour fonction unique d'entretenir le désir de consommer des biens et services toujours nouveaux ou présentés comme tels. Toutes nos institutions sont mises au service du soutien de la consommation comme fonction sociale et économique majeure et comme véritable devoir social : comment pourrait-on en même temps demander aux individus de moins consommer sans les rendre complètement schizophrènes ?

La question centrale est donc bien celle de savoir si nos sociétés sont capables de faire tenir ensemble les individus par d'autres moyens que la production et la consommation ? La participation à la vie sociale et à la délibération (dans une société organisée à la Rousseau) peut-elle se substituer en partie à la consommation dans ce but ? Sommes-nous prêts à revoir en profondeur l'ensemble du système d'incitations à la consommation que nous avons mis en place depuis le XIXᵉ siècle de manière à réduire l'empire de l'échange marchand ?

Deux versions très opposées de cette reconversion sont envisageables. L'une prend appui sur la notion de bonheur ou de bien-être, que l'on a vu envahir la scène médiatique et académique depuis quelques années. Une partie des thuriféraires de la croissance s'est en effet reconvertie dans l'apologie du bonheur, comme en témoigne le tournant postmatérialiste de l'OCDE. Les premières manifestations de cette volte-face sont apparues en 2001 dans un rapport publié sous l'égide de cette institution *(Du bien-être des nations)*, mais très peu en phase avec les analyses traditionnelles de celle-ci. L'OCDE a ensuite précisé son orientation vers la remise en cause de la croissance matérielle comme objectif central des sociétés et du PIB comme indicateur de progrès et s'est engagée dans le soutien à la croissance verte. Le même basculement a eu lieu au long des années 2000, à partir de l'épicentre des travaux de Layard consacrés au bonheur et au paradoxe d'Easterlin, dans la sphère académique. Il a largement touché les économistes mais aussi une partie de la sphère associative qui s'est plongée dans le développement des indicateurs fondés sur le bonheur et la satisfaction.

Sur quoi ont débouché concrètement ces travaux ? Sur des exploitations intensives de bases de données subjectives (permettant d'analyser en détail les degrés de satisfaction et de les mettre en lien avec d'autres caractéristiques individuelles ou sociales) et sur la production d'un ensemble de nouveaux indicateurs dont les principales composantes sont représentées par la satisfaction, c'est-à-dire l'utilité individuelle. Ces indicateurs présentent trop souvent la double limite de négliger les déterminants sociaux et les inégalités, d'une part, et les dimensions environnementales, d'autre part. L'OCDE a ainsi proposé un indicateur destiné à mesurer le bien-être, le *Better Life Index*, qui comprend dix-neuf variables (dont une seule concerne l'environnement et pas une seule les inégalités). Il appartient à la même famille que l'*Inclusive Wealth Index (IWI)*, produit par le PNUE, monument à la gloire de l'utilitarisme néoclassique, qui réalise le double tour de force de céder à la tentation de la soutenabilité faible (une augmentation du capital humain compense une dégradation du capital naturel) et de ne prendre en compte ni les inégalités ni les risques écologiques majeurs – dont les gaz à effet de serre. Jean Gadrey a attiré l'attention des lecteurs de son blog[1] sur le fait que les concepteurs de cet indicateur reconnaissaient que la régulation du climat, celle des inondations, les sols fertiles, la biodiversité, l'eau potable n'avaient « pas été retenus dans cette mesure de la richesse. »

Gadrey met exactement le doigt sur les insuffisances de cette nouvelle comptabilité du bonheur qui nous propose de sortir des apories de la croissance matérielle et du PIB. Elle continue à mettre au cœur de son raisonnement et de sa vision du monde l'anthropocentrisme dans sa version la plus individualiste et la plus utilitariste. Le nouvel Eldorado, ce serait l'addition de toutes les satisfactions individuelles, tous ces petits bonheurs collectés et agrégés, qui fabriqueraient comme

---

1. http://alternatives-economiques.fr/blogs/gadrey.

par miracle une société bien liée. Dans cette version de la sortie de crise, l'investissement dans le capital humain (facteur d'innovation) et dans la marchandisation du capital naturel (la croissance verte) sont souvent les deux mamelles du bonheur retrouvé.

Gardons-nous de tomber dans les pièges du bonheur. Et regardons plutôt du côté de l'autre version de la sortie de crise, fondée sur l'idée durkheimienne que nous sommes toujours déjà en société, que le développement de l'individu va de pair avec celui de la société, que celle-ci est notre destin en même temps que notre œuvre. Ce qui compte, pour l'inscription d'une telle société dans la durée, c'est la force, la densité, la solidité de ce lien. Le reste s'en déduit : la manière dont une telle société est capable de distribuer et redistribuer en permanence entre ses membres les biens, les droits, les accès, les protections qui ont tendance à être appropriés toujours par les mêmes et donc à en voir certains membres totalement exclus, est un des moyens essentiels de s'inscrire dans la durée. C'est pour cette raison que nous avons proposé que la santé sociale constitue une des deux principales dimensions dans notre indicateur de progrès : la manière dont l'emploi, les revenus, les conditions d'exercice du travail, les chances d'éducation sont en permanence redistribués et réégalisés est une composante majeure de la santé de la société, de sa capacité à résister à l'éclatement, à la balkanisation, à l'anomie. Si cette dimension de notre indicateur exige une redistribution permanente, l'attention portée aux évolutions du capital naturel aussi. Nous soucier du patrimoine naturel suppose aussi d'opérer une redistribution massive des pays développés vers les pays émergents et en développement et, à l'intérieur des sociétés riches, entre favorisés et défavorisés.

La reconversion que nous proposons ne pourra pas faire l'impasse sur la justice sociale. Celle-ci constitue même son épicentre. S'engager dans la transition écologique ne consiste pas à passer d'une comptabilité en points de PIB à une comptabilité en points de bien-être ou en quanta de bonheur. Un tel processus consiste au contraire à prendre en considération bien plus qu'à l'heure actuelle le caractère collectif de nos problèmes et des modalités de leur résolution. C'est ensemble que nous avons traversé des crises douloureuses, c'est d'un surcroît d'attention pour le collectif que viendra la solution. Et il n'est pas impossible que de cette nouvelle attention portée au collectif et à la cohésion sociale, que de la transformation de certains biens en biens communs, et de l'abandon du PIB comme critère de mesure de la réussite de nos sociétés naissent de nouveaux biens.

Nous nous intéressions ci-dessus aux caractéristiques de la consommation, qui rendent si problématique la réduction de son emprise. Nous nous demandions ce qui pourrait bien « remplacer » une activité aussi addictive, autant génératrice d'illusion de liberté. Juliet Schor propose une voie de sortie, qui était également celle suggérée par Gorz, dès les années 1980 et qui mérite amplement d'être étudiée. Elle vise à étendre considérablement le domaine de l'autoproduction, cet ensemble d'activités actuellement méprisé, rangé dans la catégorie « bricolage » ou « semi-loisir », ou encore pour partie dans la catégorie « production non marchande des ménages ». Il s'agit d'activités réalisées par les membres du ménage eux-mêmes et qui ne font pas partie du travail rémunéré. L'extension du domaine de l'autoproduction que propose Juliet Schor, et qui apparaîtra certainement à nos modernes comme un insupportable retour au Moyen Âge, présente pourtant trois avantages décisifs.

D'abord, l'autoproduction permet de libérer en partie les individus de la dépendance au marché. Rappelons qu'avant la révolution industrielle, la propriété d'un petit lopin de terre ou l'autorisation d'accéder aux communs permettait à quiconque de ne pas mourir de faim. Les systèmes de protection sociale mis en place, au terme d'immenses résistances, pour protéger les travailleurs, visaient précisément – après la suppression des communs et l'invention du « travail libre » – à démarchandiser le travail, c'est-à-dire à permettre aux individus de ne pas être entièrement dépendants du marché. Le mouvement de remarchandisation du travail auquel on a assisté ces vingt dernières années a rendu la dépendance au marché plus forte. C'est celle-ci que l'extension de l'autoproduction permettrait de desserrer. Même celui qui a perdu son emploi et n'a plus d'allocations peut encore subsister s'il a un petit bout de terrain, un potager et quelques volailles susceptibles de nourrir sa famille, et s'il sait effectuer quelques travaux de construction. Par ailleurs, elle soustrait les individus à la nécessité de produire un surplus et donc d'entretenir le feu de la production et de la consommation

Enfin, et peut-être surtout, l'autoproduction permet de retrouver la liberté de gestes et de conception, l'autonomie dans les objectifs comme dans les moyens de les réaliser, qui fait aujourd'hui trop souvent défaut dans le travail. Les analyses contemporaines du travail ont conforté les études consacrées par Friedmann dans les années 1950 ou par Gorz dans les années 1980 à la perte de sens du travail, à la montée d'une autonomie contrôlée, au développement de prescriptions et de normes privant le travailleur des satisfactions de l'*Homo faber*. Le livre de Crawford déjà évoqué[1] a osé renouer avec ces analyses, devenues taboues dans nos sociétés où le travail manque, et suggérer que la perte de sens du travail moderne prenait son origine à la fois dans le taylorisme, le développement du salariat et le capitalisme, c'est-à-dire, à trois titres, dans l'obsession de la maximisation et de l'efficience productive.

Matthew Crawford propose, malheureusement sans vraiment expliquer comment nous pourrions nous y prendre concrètement, un retour à l'époque d'avant le salariat, ce moment où aux États-Unis comme en France, la diffusion généralisée de la petite propriété semblait la solution aux horreurs provoquées par le « travail libre » et le « développement de la grande industrie ». Schor milite pour que des gains de productivité importants continuent d'être réalisés dans certains secteurs de l'économie, pendant qu'ils ralentiront dans d'autres et pour qu'un vaste domaine soit laissé à l'autoproduction et à de petites unités de travail. Organisées de manière non capitaliste, celles-ci permettraient de satisfaire un certain nombre de besoins au moyen de ressources locales sans production systématique d'un surplus et de redonner aux travailleurs la possibilité de renouer avec les plaisirs de l'activité transformatrice : créer, réparer de ses mains, choisir ses façons de faire, exercer des savoir-faire, faire œuvre, obtenir de la reconnaissance de l'usager... toutes sortes de sensations qui sont devenues rares dans l'exercice du travail moderne.

---

1. M. B. Crawford, *L'Éloge du carburateur, op. cit.*

Il s'agirait donc moins – tentons une synthèse de ce que nous proposent Gorz, Schor, Harribey, Gadrey et Crawford, à la suite de Marx – d'une opposition stricte entre un secteur ultra-performant et hétéronome et un secteur d'autoproduction non rentable, que de la coexistence contrôlée de plusieurs types de secteurs. Certains, ultra-mécanisés et à hauts gains de productivité prendraient en charge certaines productions spécifiques, limitativement énumérées, pendant que d'autres, ne nécessitant pas de gains de productivité élevés, seraient intensifs en main-d'œuvre et pourraient être organisés en coopératives ou en services publics. Un vaste et dense tissu local et régional de TPE, PME et artisans, organisés ou non en coopératives, contribuerait largement à la production. Une série d'activités serait laissée à l'autoproduction, les deux derniers types de secteurs permettant une véritable relocalisation de l'économie et la satisfaction des besoins au plus près des usagers.

Notons qu'une telle organisation suppose une extension de la myriade d'institutions aujourd'hui rassemblées sous l'appellation « économie sociale et solidaire » et apparaît comme une formidable occasion de dépasser certaines des limites, jusqu'alors difficiles à souligner, du salariat. Celui-ci, nombre d'auteurs l'ont bien montré [1], est sorti de l'état d'indignité qui le caractérisait au XIXe siècle pour devenir un état éminemment désiré. Et pourtant, Marx n'avait-il pas indiqué que le travail ne serait le premier besoin vital qu'au terme de l'abolition du salariat ? L'auteur d'un passionnant ouvrage, intitulé *Contrat de travail et salariat : introduction*

---

1. Henri Hatzfeld, Robert Castel, François Vatin ou Évelyne Serverin.

philosophique, économique et juridique à l'étude des conventions relatives au travail dans le régime du salariat, publié en 1910[1], rappelait qu'il existe trois systèmes de répartition du produit entre ceux qui ont contribué à le créer : le communisme familial ; le régime de partage conventionnel inégal (ou encore régime salarial ou régime capitaliste) ; le régime de partage proportionnel ou associationniste, « qui est appliqué plus ou moins intégralement dans les coopératives de production ». Proposant un parallèle entre ces trois régimes économiques et les trois régimes politiques, patriarcat, monarchie, démocratie, l'auteur suggère qu'il n'est pas impossible que, de même que la démocratie est désormais le régime le plus courant dans nos sociétés, le sens de l'histoire aille vers le régime associationniste. Des travaux récents montrent que ces formes d'organisation se répandent[2] : leur développement serait particulièrement bien adapté au changement radical qu'exige la reconversion écologique.

Nous n'irons pas ici jusqu'à indiquer comment les individus pourraient partager leur temps entre les différents secteurs, trouvant dans les deux derniers de quoi satisfaire leurs besoins de création, de transformation de la nature, de mise en forme, de compétition et d'expression de soi. Ni s'ils pourraient parvenir à être à la fois pêcheurs le matin, chasseurs l'après-midi et critiques le soir, comme le suggérait Marx. Précisons

---

1. Adéodat Boissard, *Contrat de travail et salariat : introduction philosophique, économique et juridique à l'étude des conventions relatives au travail dans le régime du salariat*, Paris, Bloud et Cie éditeurs, 1910.

2. Marie-Christine Bureau, Antonella Corsani, *Un salariat au-delà du salariat ?*, Nancy, Presses universitaires de Nancy, 2012.

que cette possibilité retrouvée d'utiliser ce qu'Yves Clot appelle la « puissance d'agir » et André Gorz les « belles activités autonomes », devrait permettre de compenser en partie les plaisirs jusqu'alors procurés par la pulsion de consommation.

Dans ce nouveau modèle de « civilisation » (expression que nous préférons à « nouveau modèle de développement[1] »), comme le suggère Marx, « les producteurs associés – l'homme socialisé – règlent de manière rationnelle leurs échanges organiques avec la nature et les soumettent à leur contrôle commun au lieu d'être dominés par la puissance aveugle de ces échanges ; et ils les accomplissent en dépensant le moins d'énergie possible, dans les conditions les plus dignes, les plus conformes à leur nature humaine ». La satisfaction des besoins humains essentiels est organisée de manière à prendre le plus grand soin du patrimoine naturel et des membres de la société, notamment les travailleurs. La part de l'activité socialisée consacrée à la satisfaction des besoins fondamentaux est la résultante d'une délibération commune, aux différents échelons, nationaux, régionaux et locaux : cette activité de participation à la détermination des conditions de vie communes constitue un des autres moyens, à côté du travail, de créer, maintenir et intensifier le lien social.

La part de la vie sociale soumise à l'économie est à la fois réduite, si l'on considère que la délibération collective régule des situations qui étaient auparavant directement réglées par la confrontation sur le marché, et étendue si l'on en revient au sens premier de l'économie, celui d'Aristote, pour lequel l'économie est la sage gestion du domaine et l'art d'acquérir des ressources

---

1. Comme je l'avais proposé dans *Qu'est-ce que la richesse ?*

nécessaires à la subsistance de la communauté : l'échange ou le petit commerce n'y sont admis que dans la mesure où ils ont comme fin le bien-être de la communauté et sont subordonnés à la subsistance et à l'autonomie de celle-ci.

Une telle version de la sortie de crise propose une vision optimiste de la reconversion. Elle substitue à la recherche effrénée, illimitée mais vouée à l'échec, de la croissance de quantités de biens et de services, produits avec un invraisemblable gâchis de temps humain et de ressources naturelles, la satisfaction des besoins humains fondamentaux collectivement déterminés. Sa concrétisation se heurte à plusieurs obstacles majeurs. Elle nécessite d'abord une éradication totale de la financiarisation des économies qui s'est emparée du monde depuis les années 1980. Elle va à l'encontre des intérêts de toutes les organisations qui visent la maximisation des quantités produites et des gains tirés de leur vente. Plus généralement, une telle vision contredit le caractère illimité du système capitaliste qui tend à transformer toute chose en capital susceptible de produire des revenus ou un intérêt. Elle se situe enfin en rupture totale avec un certain nombre de valeurs du monde moderne : croyance au caractère uniment bon des sciences et techniques, confusion du progrès et de l'augmentation des quantités, désenchantement de la nature, croyance dans les capacités prométhéennes de l'homme, rapport utilitariste et anthropocentrique à la nature, élection de l'économie comme science reine et de l'individu comme valeur suprême, dépolitisation et extension de la sphère de la marchandisation comme mode de régulation des affaires humaines.

La transition écologique, si nous parvenons à l'engager, devrait s'accompagner d'une nouvelle rupture avec cette modernité et d'une redéfinition de ses « valeurs » : non pas qu'il nous faille renoncer à l'individu, à l'économie, à la maîtrise ou au progrès. Mais il nous faut leur donner une nouvelle signification. Un sens adapté aux caractéristiques du monde qui est le nôtre : vulnérable, fragile, mais aussi menaçant. Au-delà d'une modernité échevelée, au cours de laquelle les humains ont cru qu'ils pourraient se passer même de la nature, il nous faut sans doute renouer avec les idéaux et les valeurs du monde grec : le sens de la mesure, de la limite, de l'insertion savamment calculée de nos actes dans la nature ; la capacité à imiter la nature, à respecter ses rythmes, à faire de l'autarcie une valeur, à produire au plus juste, et ce, sans les défauts du monde grec : l'esclavage, les femmes tenues pour quantité négligeable, la démocratie réduite à un tout petit nombre, l'Autre considéré comme un barbare. La reconversion écologique, occasion de réacclimater le monde grec et ses magnifiques valeurs au cœur de la postmodernité ? Une occasion vraiment historique...

BIBLIOGRAPHIE COMPLÉMENTAIRE

ATTAC, *La nature n'a pas de prix. Les Méprises de l'économie verte*, Les Liens qui libèrent, 2012.

ASSOCIATION NÉGAWATT, Manifeste Négawat, *Réussir la transition énergétique*, Actes Sud, 2012.

BLANCHET, Didier, « La mesure de la soutenabilité. Les antécédents, les propositions et les principales suites du rapport Stiglitz, Sen, Fitoussi », *Revue de l'OFCE / Débats et Politiques* – 120, 2011.

BOLTANSKI, Luc et CHIAPELLO, Ève, *Le Nouvel Esprit du capitalisme*, Gallimard, 1999.

BOULEAU, Nicolas, « Une pensée devenue monde », *Esprit,* novembre 2009, p. 130-146.

BOURG, Dominique, *Nature et Technique*, Hatier, coll. « Optiques Philosophie », 1997.

BOURG, Dominique et WHITESIDE Kerry, *Vers une démocratie écologique. Le Citoyen, le savant et le politique*, Seuil, coll. « La République des idées », 2009.

BRUNDLAND, G. H., *Notre avenir à tous*, Rapport de la Commission mondiale sur l'environnement et le développement, 1987.

CAILLÉ, Alain, *L'Idée même de richesse*, La Découverte, coll. « Cahiers libres », 2012.

CALLICOT, Baird, « La valeur intrinsèque dans la nature : une analyse méta-éthique », in HICHAM-STÉPHANE, Afeissa, *Éthique de l'environnement. Nature, valeur, respect,* Vrin, 2007.

CASSIERS, Isabelle et THIRY, Géraldine, « Du PIB aux nouveaux indicateurs de prospérité : les enjeux d'un tournant historique », in CASSIERS I., *Redéfinir la prospérité. Jalons pour un débat public,* Éditions de l'Aube, 2011, p. 49-76.

CASSIERS, Isabelle et DELAIN, Catherine, « La croissance ne fait pas le bonheur : les économistes le savent-ils ? » *Regards économiques,* mars 2006, p. 1-14.

COMMISSARIAT GÉNÉRAL AU DÉVELOPPEMENT DURABLE, « Donner une valeur à l'environnement : la monétarisation, un exercice délicat mais nécessaire », 2010.

COMMISSARIAT GÉNÉRAL AU DÉVELOPPEMENT DURABLE, « Monétarisation des biens, services et impacts environnementaux, études et documents », n° 53, octobre 2011.

COMMISSARIAT GÉNÉRAL AU DÉVELOPPEMENT DURABLE, « Gestion prévisionnelle des emplois et des compétences dans les secteurs de l'industrie et de l'énergie dans le contexte d'une économie verte », *Références,* avril 2011.

CHEVASSUS-AU-LOUIS, Bernard, SALLES, Jean-Michel, PUJOL, Jean, *Approche économique de la biodiversité et des services liés aux écosystèmes,* La Documentation française, coll. « Rapports et documents », 2009.

COMELIAU, Christian, « Croissance économique : mesure ou démesure ? », in *Le Développement en question(s),* Presses universitaires de Bordeaux, 2006.

DOBRÉ, Michelle et JUAN, Salvador, *Consommer autrement : la réforme écologique des modes de vie,* L'Harmattan, 2009.

DALY, Herman E., *Beyond Growth. The Economic of Sustainable Development,* Boston Beacon Press, 1996.

FITOUSSI, Jean-Paul et LAURENT, Éloi, *La Nouvelle Écologie politique*, Seuil, coll. « La République des idées », 2008.

FLEURBAEY Marc, *Capitalisme ou démocratie ? L'alternative du XXIᵉ siècle*, Paris, Grasset, 2006.

FLIPO, Fabrice, « Pour des droits de la Nature », *Mouvements*, n° 70, 2012, p. 122-137.

FORUM POUR D'AUTRES INDICATEURS DE RICHESSE (FAIR), « La richesse autrement », *Alternatives économiques Poche*, n° 48, mars 2011.

FRÉMEAUX, Philippe, *La Nouvelle Alternative. Enquête sur l'économie sociale et solidaire*, Les Petits Matins, 2011.

GENDRON, Corine, *Fondements d'une sociologie économique de l'environnement*, Presses de Sciences-Po, Écologie et Politique, 2003/1, n° 27, pp. 59-78.

GLEIZES Jérôme, « La croissance verte est-elle possible ? » in COUTROT, MÉDA, FLACHER, *Pour sortir de ce vieux monde. Les Chemins de la transition*, Utopia, 2010.

GRANDJEAN, Alain et JANCOVICI, Jean-Marc, *Le plein s'il vous plaît !*, Seuil, 2007.

HATZFELD, Henri, *Du paupérisme à la sécurité sociale*, Presses universitaires de Nancy, 1989.

JANY-CATRICE, Florence, 2008, 2009, « The French Regions and Their Social Health », *Social Indicators Research*, Springer, volume 93, Number 2, pp. 377-391, 2009.

JANY-CATRICE, Florence, *La Performance totale : nouvel esprit du capitalisme ?*, Septentrion, 2012.

KEMPF, Hervé, *Comment les riches détruisent la planète*, Seuil, coll. « Points », 2009.

KEMPF, Hervé, *Fin de l'Occident, naissance du monde*, Seuil, 2013.

LATOUCHE, Serge, « Nature, écologie et économie, une approche anti-utilitariste », *Revue du Mauss*, 2001/1, n° 17, 2001.

LAURENT, Éloi, *Social-Écologie*, Flammarion, 2011.

MARIS, Virginie, *Philosophie de la biodiversité. Petite éthique pour une nature en péril*, Buchet-Chastel, 2010.

MASSARD-GUILBAUD, Geneviève, *Histoire de la pollution industrielle en France, 1789-1914*, Éditions de l'EHESS, 2010.

MÉDA, Dominique, *Le Travail. Une valeur en voie de disparition*, Aubier, coll. « Alto », 1995, rééd. Flammarion, coll. « Champs », 1998 ; *Qu'est-ce que la richesse ?*, Aubier, coll. « Alto », 1999, rééd. Flammarion, et Champs ; *Au-delà du PIB. Pour une autre mesure de la richesse*, Champs-Actuel, 2008.

MOLINIER, Pascale, *Le Travail du care*, La Dispute, 2012.

MOLINIER, Pascale, LAUGIER, Sandra, PAPERMAN, Patricia, *Qu'est-ce que le care ? Souci des autres, sensibilité, responsabilité*, Payot, coll. « Petite Bibliothèque Payot », 2009.

NORDHAUS William et TOBIN James, « Is Growth Obsolete ? » in The Measurement of Economic and Social Performance, Studies in Income and Wealth, National Bureau of Economic Reasearch, vol. 38, 1973.

OCDE, *Mesurer et favoriser les progrès des sociétés*, Forum d'Istanbul, 2007.

PERRET Bernard, *Pour une raison écologique*, Flammarion, 2011.

PLEYERS, Geoffrey, *Alterglobalization. Become Actors in a Global Age*, Polity Press, 2010.

ROCARD Michel, LARROUTUROU Pierre, *La gauche n'a plus droit à l'erreur*, Flammarion, 2013.

SAINT-FRONT, Jacques de, SAINT-FRONT, Pauline de, SCHOUN, Gérard, VEILLARD, Michel, *Manifeste pour une comptabilité universelle*, L'Harmattan, 2012.

SALVADOR, Juan, *La Transition écologique*, Éres, 2011.

SINAÏ, Agnès (dir.), *Penser la décroissance. Politiques de l'anthropocène*, Presses de Sciences-Po, 2013.

BIBLIOGRAPHIE COMPLÉMENTAIRE

SUTTER Andrew, « Décroissance : Not "The" Question of Growth, But "Which" », téléchargeable sur Social Science Research Network.

VIVERET, Patrick, *Reconsidérer la richesse*, Éditions de l'Aube, 2003.

VIVIEN, Franck-Dominique, *Le Développement soutenable*, La Découverte, coll. « Repères », 2005.

REMERCIEMENTS

Je voudrais remercier chaleureusement, pour nos discussions, nos séances de travail et leur amitié : Jean Gadrey, économiste humaniste qui ne cesse d'explorer les voies du nouveau monde que nous voulons ; Nicole Gadrey, infatigable soutien des femmes et des politiques du *care* ; Florence Jany-Catrice, qui mène un combat essentiel en faveur d'une économie plurielle et avec qui nous partageons tant d'idées ; Isabelle Cassiers, qui m'a aidée à concevoir le programme de la chaire « Reconversion écologique, travail, emploi, politiques sociales » et avec qui nous avons tant échangé ; les membres du Forum pour d'autres indicateurs de richesse ; Michel Wieviorka, qui a bien voulu me faire confiance et me proposer cette belle aventure du Collège d'études mondiales et toute son équipe ; Philippe Frémeaux, Aurore Lalucq et Wojtek Kalinowski, de l'Institut Veblen, pour leur aide précieuse ; Anne Torregrossa, mon éternelle amie ; Sophie Berlin et Cécile Dutheil de La Rochère, mes éditrices ; enfin, Nassim, Adrienne et Armande qui m'ont accompagnée tout au long de la rédaction de cet ouvrage.

Ce livre est issu de la conférence inaugurale de la chaire « Reconversion écologique, travail, emploi, politiques sociales ». (Collège d'études mondiales / Dauphine).

TABLE

COMPRENDRE

TABLE

Composition et mise en page

NORD COMPO
m u l t i m é d i a